曲影
瑜伽

激瘦普拉蒂

减脂 收身 塑形 一气呵成 PILATES

曲影 编著

成都时代出版社

序

魔力PILATES

——风靡欧美，席卷全球的超完美时尚运动

目前在欧美最流行的时尚运动Pilates，从好莱坞明星、超级名模到一般上班族，不分男女老少，人人都爱上了这项运动。麦当娜靠它，40多岁了还在舞台上劲歌热舞；《夺命狂呼》一开场便被cut的茱丽·巴利摩尔，在后来接拍《查理的天使》时，靠Pilates减掉了10多公斤才变成一个可以跳高爬低的专业女特务；妮可·基曼在与靓佬汤分道扬镳后便与Pilates结缘，身心状态更胜离婚前的她，演艺事业一飞冲天，《红磨坊》中她完美的身材令全世界男人的心为之陷落……

而我初识Pilates时，也只当它是一个时尚的标识。练习一段时间后，我彻底被它的魅力所征服！现在，这个1926年便在德国诞生的静力健身运动已席卷全球。2000年，Pilates进入中国上海的健身场馆以及一些比较好的康复医院。一些大的专业舞蹈团也开始选用Pilates作为改善肌肉功能的训练方式。因为舞蹈演员的肌肉既要有爆发力又要有柔韧性，Pilates的训练正好满足了舞蹈演员对肌肉形态的要求。由于Pilates的动作舒缓而轻柔，适合任何年龄的人，特别是运动较少又长时间接触电脑的白领一族，因此，国内一些大城市的健身场馆纷纷引入Pilates这项运动。

普拉蒂到底具有什么魅力呢？其实，我觉得普拉蒂充满了矛盾：它的动作看起来平凡无奇，但是一旦做起来，却能呈现出轻盈脱俗的美感；同时，虽然动作简单，能带来非常多的益处。

普拉蒂结合了瑜伽、舞蹈和体操等东西方的精粹，可以加强人体核心、拉开脊椎、强化肌肉、增加身体敏锐度与弹性，而且对背部、膝盖、臀部、肩膀这些部位很有帮助。所以，专业舞者与一般人借此加强肌力、增加柔软度、改善身体姿势，使身体语言变地更优雅、更自在，现在许多物理治疗中心也将普拉蒂的技巧运用在保健上。

练习普拉蒂非常方便，随时随地都可以练习。只要在地板上铺块软垫，或在床上就可以开始做普拉蒂了，不过床垫可不能像棉花糖一样软绵绵的喔！这样整个人会陷下去，无法正确而均衡地锻炼身体。

除了随时随地都可以练习这点外，我最喜欢这个运动的原因是，它能雕塑身体线

条，而且，训练出来的肌肉线条更为均匀、修长。因为普拉蒂锻炼的是较深层的肌肉，而非表面的大肌群，所以会让身材纤细而结实，不会让肌肉变得太粗壮。我想，很多女生同样会爱上这种简单、有效并且优雅的运动吧!

普拉蒂另一个迷人的地方就是呼吸。是因为生活的步调太匆促吗？我觉得现代人做什么都讲求快速，连简单的呼吸都变得急促轻浅了，结果身体没有吸进充足的氧气，连身体代谢后的二氧化碳都没办法一吐为快，人就越来越“闷”，身体和情绪都受到不好的影响。普拉蒂的腹式呼吸可以让人充分吸进氧气，而且在运动的同时注意呼吸的话，可以更有效地传送氧气到达全身，让你拥有健康的肌肉，更有清楚的思绪，使心灵慢慢沉淀，逐渐感到身心放松与自由。

普拉蒂还有许多的益处呢！比方说增强平衡，普拉蒂帮助人更了解肌肉及身体系统，从而能察觉到自我身体的对称性，找到身体最自然最正确的姿势，避免平日不良习惯动作（像是常把包包背在同一边之类的习惯）而引起的脊椎侧弯等伤害。拥有了正确的姿势，加上动作的协调与灵活，对肢体表达会有更好的效果，身体语言将会变地更优雅、更自在。除了外在功能，普拉蒂对内在健康也有绝佳效果，呼吸让身体含氧量增加、提升血液循环速度，整个人气色和肤质都会自然变好。而且这个运动还能帮助体内淋巴的循环，增强免疫力。

对于紧张忙碌的现代人而言，普拉蒂是达到身心灵协调的最佳运动。它可以让练习者在运动中得到充分的舒缓，使思绪清楚，心灵沉淀，逐渐感到身心放松与自由。

曲影心语

QUYING'S SENTIMENT:

身心灵的出口与入口

The Exit And The Entrance Of The Body And Mind

目录 CONTENTS

喜悦的Pilates，与其说是提供，
倒不如说是提醒，
原来生命的出口和能量，
上天早就将它放在我们的身体里，
只是，我们经常忘记了。

Pilates is a method that awakes
our potential strength,
which had been
put in our bodies
by natural God long before.

第1章

PILATES

The Popular Sport All Over The World——Pilates

风靡全球的时尚运动——普拉蒂

1. 普拉蒂运动之父

Pilates the father of the sports

普拉蒂训练法是由德国人Joseph Pilates（约瑟夫·普拉蒂）创立并推广的。他生于1880年，体弱多病令他的童年灰暗无比，气喘病、佝偻病、风湿病的困扰更使他拥有了渴望健康的动力。7岁时，他创造了一种训练方式，集瑜伽、武术、希腊的古老健身方式为一体，进行自我练习。从14岁开始，在医生的帮助下，Pilates以顽强的毅力克服了身体的病痛，参加了大量的体育锻炼，在滑雪、跳水、体操等多项运动中都颇有造诣。20世纪，他在英国将舞蹈的元素加进他的训练之中，取得了很好效果。长期的锻炼过程也使他积累和总结了一套独特的均衡肌体的训练体系。该体系传播速度极快，并受到越来越多的人的认可和欢迎，也被芭蕾体操等相关项目列为特殊的训练方法。Pilates训练法因此得名。它最早用于运动机能的恢复理疗。呼吸和运动的配合是普拉蒂训练法的核心，它强调了人的呼吸对人体运动的影响。

运动之父—— *Joseph Pilates*（约瑟夫·普拉蒂）

2. 普拉蒂魅力

The charm of the Pilates

曾经有人这么描述普拉蒂：融合了西方人的“刚”（注重身体肌肉和机能的训练），与东方人的“柔”（强调练习时的身心统一），每个姿势都要和呼吸协调，达到身心灵整体和谐，我想，和我一样爱美的朋友们都会被它的无穷魅力吸引的!

◎塑身减肥

经常做Pilates的其中一个主要益处是让体态变得流线型。这些运动是为了促进肌肉群之间的平衡及伸展身体而设计的。你的肌肉逐渐拉长而动能中心的肌肉亦接连不断地发挥其功能，从而改善你整体的身型及姿势。

◎美容护肤

普拉蒂的腹式呼吸法对促进内在健康有绝佳效果，它能增加身体含氧量、提升血液循环，使整个人的气色和肤质变得自然。

◎提升气质

长期练习普拉蒂可以帮助你找到自然健康确的体姿，加强身体的协调性和灵活性，修正平日不良习惯导致的身体扭曲、变形等现象，使肢体语言变得优雅，提升自身气质，让你魅力四射!

◎松弛身体

现代人生活的方式都是坐在办公桌前、上网、驾驶、看电视或者在通勤和工作时以不舒服的姿势站着。经过劳累的一天，身体变得越来越僵硬。Pilates对伸展与松弛你的身体有着奇妙作用。假如你经常跑步，你便需要更进一步的伸展，因为经常及过度的活动都会令肌肉缩短。

◎平衡身体

Pilates对于平衡均匀你的体型有很大的功效。大部分人都是其中一边身体较另一边发达，举例来说，出现其中一只胳膊较另一只胳膊长，或其中一只手的肌肉较另一只灵活。通过练习Pilates可以改善以上状况。

◎排毒净化

“把空气由你的肺挤出”。普拉蒂相信吸气和呼气都能释放导致怠惰及疲劳的毒素。现在已经普遍地认为，运动期间有效地呼吸能改善你体内的血液供应，从而提升警觉性。Pilates运动有助平静杂乱思维及净化思想。

◎缓解压力

我们偶尔会遭受压力，许多人都体会到运动期间若能集中精神，正确地呼吸及用意志占据身体，将有效减轻压力所带来的影响。

3. 普拉蒂运动的基本原则

the principles of the Pilates

◎横向呼吸法 Lateral Breathing

做Pilates时运用横向呼吸法，能促成正确的动作模式，同时让你肺部吸纳最大量的氧气。吸气时，胸腔骨的下部向横扩张，呼气时则下陷。这样呼吸，能协助你运动时保持腹部一直收缩内曲。

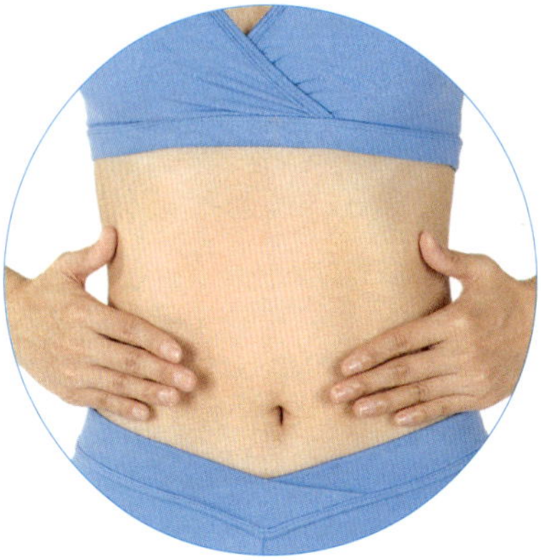

坐或站直。置双手于胸腔骨旁。吸气，胸腔骨向横扩张，但肚子不要上涨。感觉胸骨的移动。沉肩。

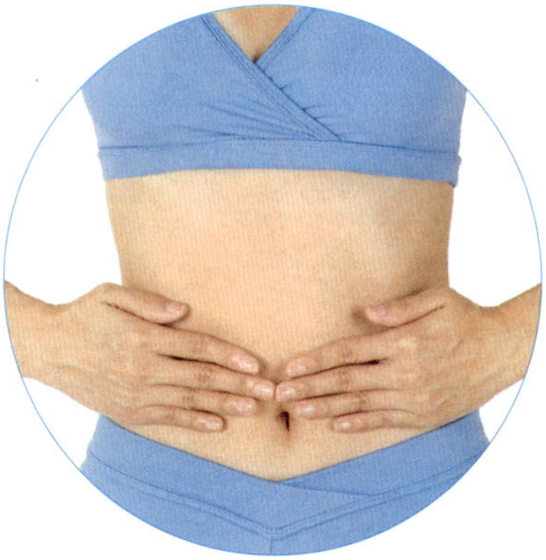

呼气时，尽量将胸腔骨下陷进身体。感觉两边胸骨往中央移近。

◎凝聚轴心/力量区域 Core/Powerhouse

Pilates的其中一个基本原理是凝聚轴心。轴心或力量区域是指一系列构成和稳定身体中心的肌肉。这些肌肉包括腹肌(尤其是腹横肌)，下背肌和盆腔底肌。一个强壮的轴心不单能减少伤背的机会，更能改善姿势和调准身体的平衡。普通人却经常忽略这些肌肉。Pilates就是教你找到和运用它们。

要达到良好的轴心稳定，你需要在拉进下腹的同时，收缩盆腔底肌，以启动深层的腹横肌。盆腔底肌位于盆腔底部，而腹横肌是包围着下腹和腰肢的一条内层腰带。要启动盆腔底肌，应把盆腔底肌向内上抽紧，感觉有点像忍尿一样。当你缓缓抽紧盆腔底肌时，多裂肌(Multifidus)(这个很难感觉到)和腹横肌就会同时收缩。保持持续的下腹收紧，这种收缩要向上和向内地往脊骨进展。不要用尽全力收缩，达到完全收紧的30%~40%就是凝聚轴心的标准力度。

◎沉肩 Shoulders Down/Set

很多人都会在颈和肩膀处积聚压力，加上不良的姿势，例如长时间坐在电脑前，拱起背、头伸前，久而久之就会形成圆拱又绷紧的上背，使肩胛骨尖向外移离胸腔骨。Pilates强调利用中背肌肉把肩膀沉下，以助拉直上背。

大家可以用这个小小的运动来练习沉肩。开始时耸起双肩又放下数次。留意当你耸肩时，肩胛骨尖向外移；当肩膀放下，肩胛骨尖往下和往内。我们利用这个动作来固定肩膀的位置，将肩胛骨尖向下背的中线沉下，你会感到颈同时自然地延伸，这样就可以消退颈和肩的压力及绷紧状态。

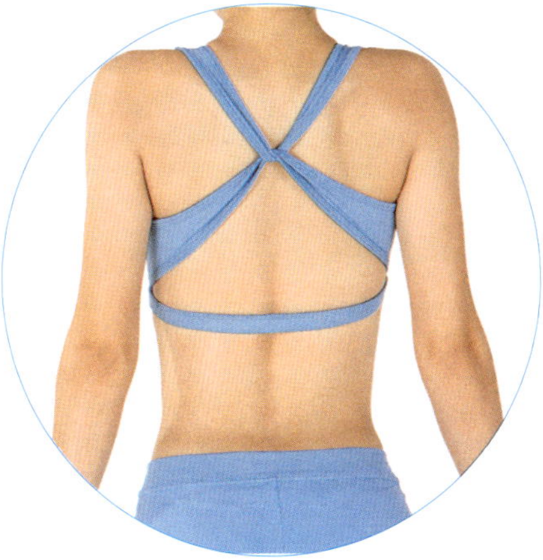

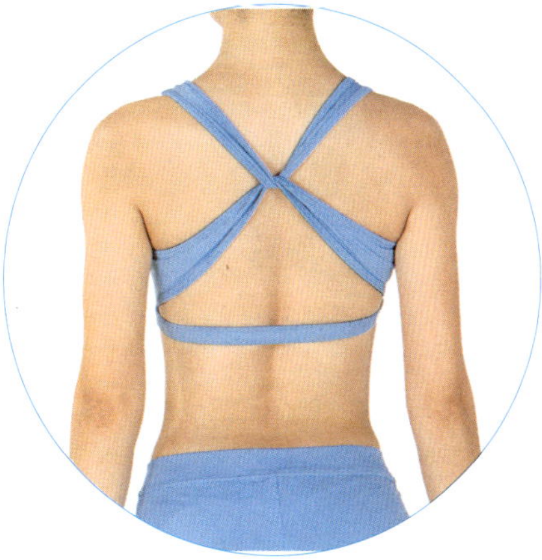

◎轴心盒子 Torso Box

维持轴心盒子十分重要，这样你才可以安全地运动，并保持身体的匀称。幻想四条直线，将两边肩膀和两边盆骨相连，这个“盒子”是身体调准和对称的提示。做每一个Pilates运动时，问问自己：“我的盒子方正吗？”很多人都会习惯性的依赖一边身体，你甚至可以留意到自己倾侧或旋向一边。做各种日常活动时，也会经常有一边身体较另一边容易操控的感觉。Pilates会令你更加意识到这些不平衡，进而纠正调准它们。

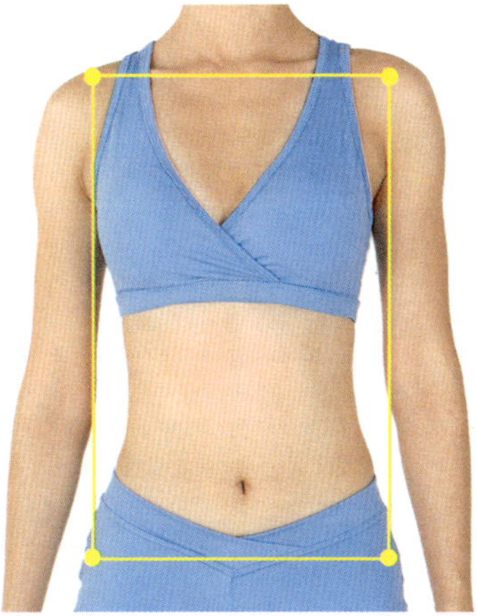

◎下巴抵进胸前

Chin into Chest

多数的垫式Pilates动作都是在仰卧姿势中抬起头和手脚。正确的头部位置对于增加腹肌运用和减少颈部压力十分重要。头应该提起向前至锁骨上，下巴应抵进胸骨。下巴和胸膛之间应有约一个拳头的距离，视线则固定于轴心位置。如此提起头部，有助你运动时用眼睛检查躯干和双脚的调准。初学者常犯的错误：下巴太贴近胸骨，或将头向后昂，因而感到颈部疼痛。

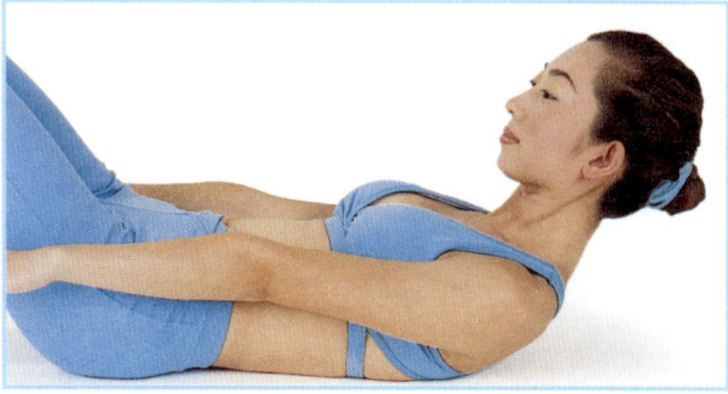

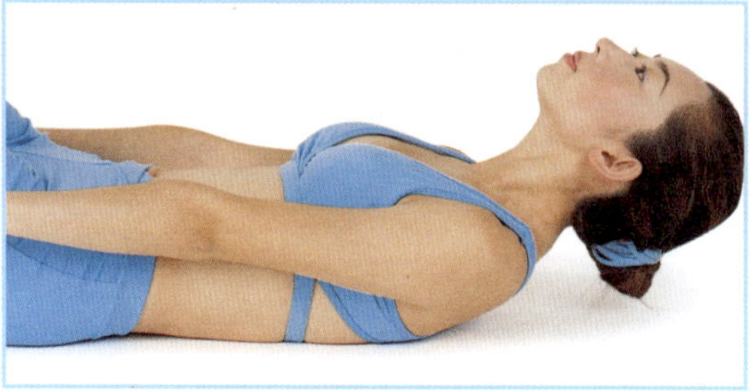

◎延伸脊骨和四肢

Lengthening the Spine and Limbs

Pilates舞蹈老师经常叫学生“拉长脊骨”、“长高一点”。成人这样就可以“长高”吗？原来可以呢!研究指出，只需要简单的口头指示，参与者就可以真正延伸脊骨，减小脊椎间的压缩。其中有两个重点位置能帮你“长高”。首先，增加盆骨和胸腔之间的距离(注意：不要拗下后背）。此外，将头部拉离尾龙骨的方向。当你学会“长高”后，就要学会保持这个高度。Pilates就是要唤醒那些维持坐、站姿的肌肉。

至于延伸四肢，则有助增强四肢的肌肉。要注意肢体的调准，不要锁实手肘和膝盖关节。

◎脊骨和盆部的自然中轴位置 Neutral Spine/Neutral Pelvis

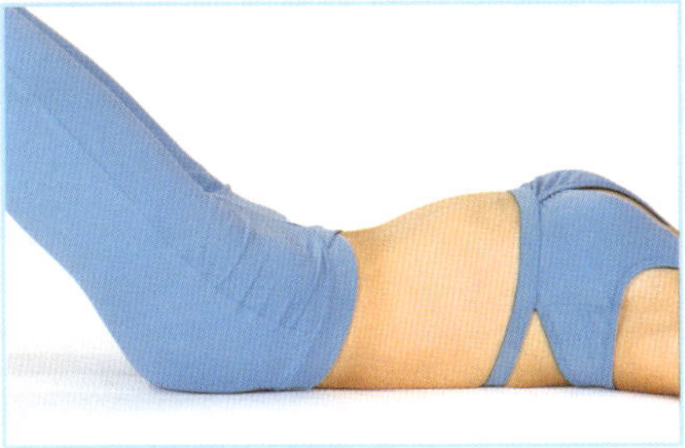

脊骨和盆部的自然中轴位置是相辅相成的。当盆部处于自然中轴，下背脊骨就会自动落入它的中轴位置了。要找到你的盆部自然中轴位置，可以将手心底部置于盆骨上，手指尖于耻骨上，形成一个三角形。这个三角形成水平时，盆部和下背就是处于自然中轴。在做每一个Pilates动作时，都尽量保持这个自然中轴位置。

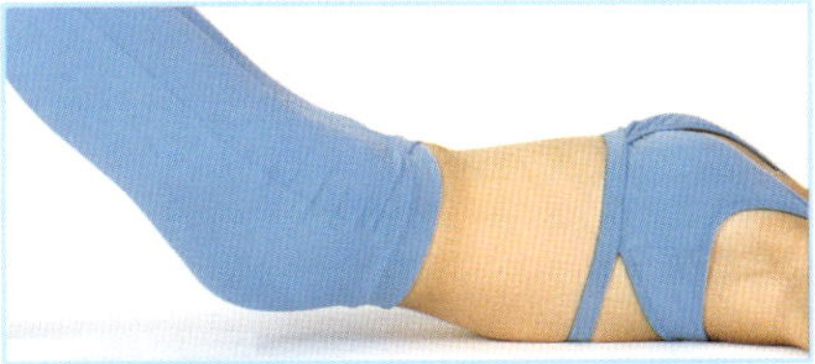

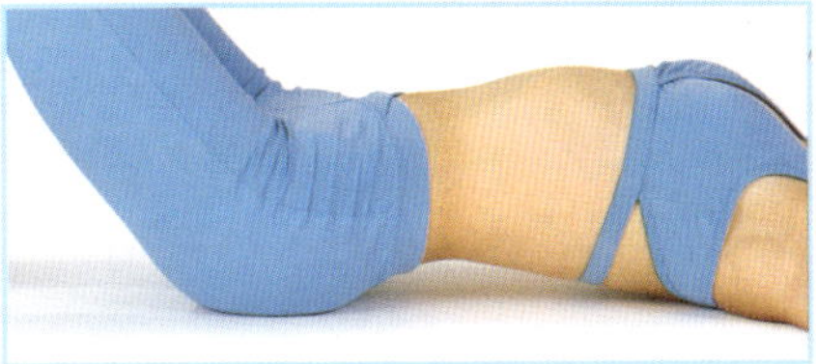

盆部有三个常见的失调。一是盆部提起倾进身体的方向。当膝盖收进胸前，或抬起躯干，或过分收紧臀部肌肉时，就容易犯这个错误。二是把盆骨倾离躯干向下，增加下背脊骨的弯度和离地面的空间。这表示你的轴心力量不足，因而动用到下背肌来稳定姿势。三是盆骨左右倾侧。当身体一边的负重增加，但这一边的轴心肌肉却不够力量来维持盆部平衡，就会出现这种盆部位置失调。

◎卷动脊骨 Rolling/Peeling the Spine

一条健康的脊骨不但要强壮，而且要柔软。想拥有健康的脊骨，在做每一个动作时，脊骨各部分都应该投入辅助。当其中一部分被锁紧，整条脊骨的活动都会受阻。这时锁紧部分上下的其他脊骨节就会“加强工作”，变得过分柔软来补偿缺乏活动的部分，结果令脊骨承受非常大的压力。

垫式Pilates的很多动作都着重脊骨的逐节平均活动。我们在本书中利用“卷动脊骨”和“逐节逐节的抽离”这些字眼，来带出脊骨节清晰及受控的活动模式。

◎普拉蒂站姿 Pilates Stance

普拉蒂站姿是指一种脚摆放的位置，脚跟相接，形成一个V字。但普拉蒂站姿的启始在于盆部。你应该收紧臀部，使大腿后侧互相贴紧，大腿骨从盆腔处向外转，双脚才打开成V字。虽然臀部和大腿收紧了，但小腿和双脚应保持放松延

◎整合 Integration

不少学生都向我诉苦："做Pilates时要记住太多东西了。"没错。垫式Pilates的一个特点就是要参与者重新思考他们的活动模式。一个常用的方法是把集中力放在活动中的一组肌肉或区域上。但Pilates要求你扩大你的集中范围，连静止中的身体部分你都要留意，并意识到身体其实是整合性地活动。这样你的动作才可以更有效和得到更佳的平衡。

约瑟夫·普拉蒂说过："不要用十磅的力去做一个五磅的动作。"例如做"长躯席卷"(Roll up)时，应运用身体轴心和盆部的稳定性肌肉来固定身体下部于地面，而上半身卷升前探时，则用腹横肌和背阔肌带动脊骨的伸展。同时脚跟上屈后蹬的话，腿筋亦能得到适度伸展。相反，如果你只是着眼于把上身提起，就只会运用上表层的腹肌，下背缺乏轴心支持因而容易受伤。不少人亦经常太用力而错误地用上四头肌和盆部屈肌，反而令动作失去流畅。

4. 普拉蒂的特点

the specialty of the Pilates

普拉蒂最大的特点是简单易学，不仅动作平缓，而且可以有目的地针对手臂、胸部和肩部锻炼，同时又能增强身体的柔韧性。而且，这项运动不受活动地点的限制，无论专业健身房还是起居室，同样可以练习。

Pilates把东方的柔和与西方的刚毅二者之长合二为一，它的动作缓慢而清楚，而每个姿势都必须与呼吸协调，所以Pilates适合任何年龄，特别是缺少运动、长时间需要接触电脑和朝九晚五的上班族的人士。伸展也是Pilates中训练重点之一，其特殊之处就是肌肉不会经运动后导致发达，而是通过对身体核心部位（由腰部和腹部肌肉组成，包括腹横肌、腹内斜肌、腹外斜肌、腹直肌、竖脊肌）的锻炼，使脊柱变地柔软有韧性。所以Pilates运动不但改善了身体线条，还对矫正颈部和脊髓起到好的效果。

这种练习的特点决定了它非常适合追求完美形体和聪慧大脑的女性以及长期从事强体力劳动或锻炼，身体比较粗壮结实，用一般方法较难取得理想塑身健体效果的人来进行练习。它在练习中带来的美感和心灵的愉悦可以抵消一些小小的艰苦，是其他的健身项目不可取代的。

5. 普拉蒂运动的注意事项及安全指引

Notice of the Pilates

◎什么时候做PILATES

讲究质量而不是数量是Pilates背后的哲理。恰当地做少量的运动远比匆匆地完成整个运动程序更佳。普拉蒂建议每星期做四次Pilates运动，要是你没有时间，你仍可从较少的练习中得益。每一次锻炼之间应预留一天休息时间，好让体力回复并吸收新的咨询。

◎需要花多少时间

每段练习所需的时间要依据你从“核心运动程式”中增加多少个运动，依据你对这些运动的熟练程度来决定。当你开始做Pilates时，每个运动需要1至2分钟。“基础运动程式”，包括休息时间在内，需要20分钟。当你进入“核心运动程式”，这阶段将需要45分钟。

◎准备

避开干扰： 找一段不受干扰的时间，专注于运动，抵抗任何令你匆忙完结锻炼的诱惑。

有足够的活动空间： 空间需要足够的宽阔，容许你躺在地席上，并可伸手到头顶上及两旁。还应该包括一道宽阔的墙壁，足以容许你站着时伸手到头顶上、前方及两旁。

在通风良好的场地练习： 在条件许可的情况下，尽量找一个有新鲜空气进入的空间。如果没有，就在空调房内进行。

穿着合适的服装： 可选择贴身服饰，这样可以帮助你看清楚自己的身体情况，但不要选择有碍活动的衣服，尤其是腰部。不需要穿鞋，如果需要可穿短袜。

使用地席： 选择一块厚而具承受力的地席，这样可以保护你的脊椎。所用的地席应该比瑜伽地席厚，并且不能太软以便保持平衡。长度要与自己身高一样，宽度是身体宽度的1.5倍。如果脖子软弱或躺卧时姿势趋向后倾，在头部下方可放置一个细小而结实的枕头或毛巾。

◎安全指引

1. 假如你患病，最近曾进行手术或者接受治疗，或正在怀孕，又或在过去三个月之内曾生育，在没有医生的许可下不应进行这项运动。

2. 假如你的健康状况良好但没有Pilates运动的经验，记住你现在正着手一项新的运动方式，可能会运用到一些你久未运用的肌肉。倾听你的身体，一旦感到疼痛，便应立即停止该项运动。

3. 假如你在运动期间感觉不适，应该停止运动并再一次阅读指示。你可能会发现你遗漏了一项重要的细节，以致该运动难于进行。

4. 在任何情况下，都不应强迫你的身体进行运动中的任何动作。集中做一个困难的动作，有别于拉紧你的身体，仔细地仿效每一个练习以确保你履行前者而不是后者。

5. 不要太快进入“核心运动程式”，应该循序渐进，集中于完成“基础运动程式”中的运动，直至你的能量有所改善。

Quying
Pilates

第2章

PILATES

Shaping My Figure——the Camp Of The Pilates

Body我“形”我“塑”——普拉蒂集中营

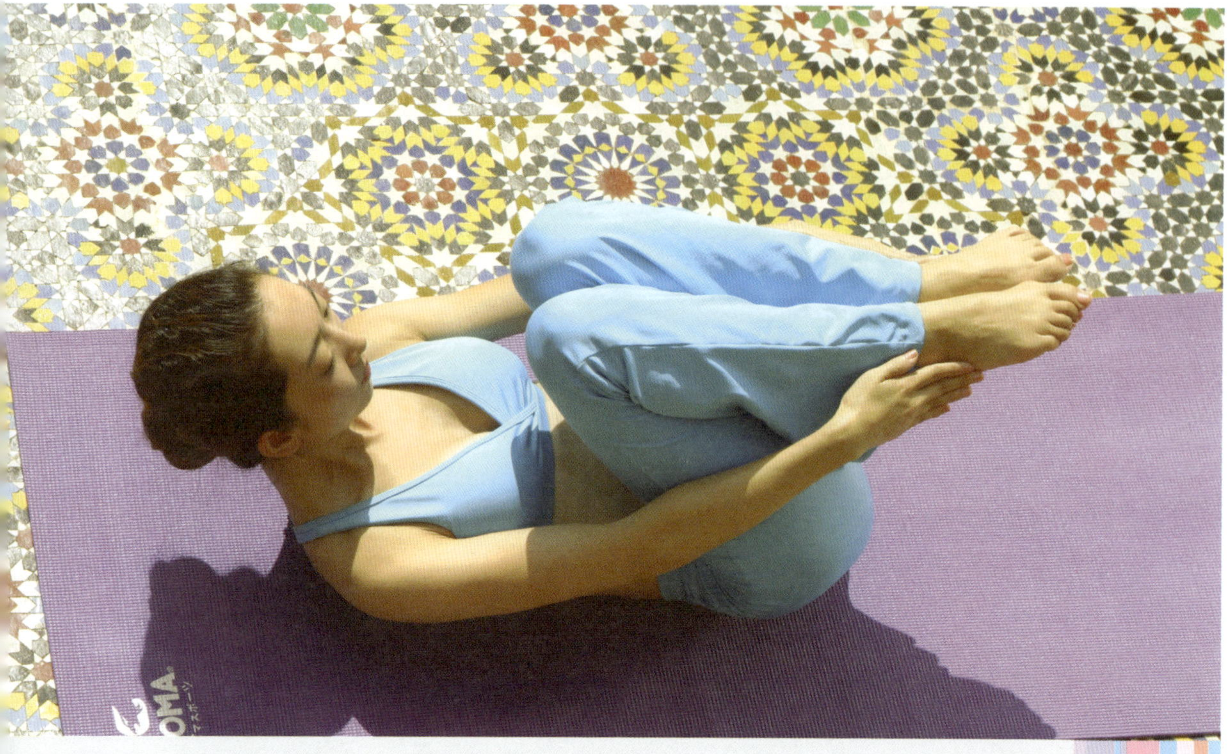

准备好了吗？只要掌握下面这些关键词，你就可以享受普拉蒂的身、心、灵盛宴喔！

◎ Concentration（专注）：抛开工作中的烦恼，集中注意力，做动作时静静“聆听”身体的感觉。

◎ Control（控制）：动作要到位，尽量做到教练要求的位置，不要几个动作“带带过”，混在一起。

◎ Centering（中心）：充分利用自身重力带来的阻力，达到锻炼肌肉的效果。

◎ Breath（呼吸）：做动作时，鼻子、嘴巴一起吸气或吐气，吐气要快、有力。

◎ Flow（流畅）：动作保持流畅，速度均匀。

◎ Precision（精确）：动作不准确，锻炼效果就出不来，比如腿部弯曲到90度，角度太大或太小，效果都会“大打折扣”。

◎ Relaxation（放松）：躺在地板上静静冥想，仔细感觉自己的身体：哪个肩膀更高一些，头部和脚部哪个更轻……

◎ Stamina（持久力）：有意识地去收缩需要练习的肌肉，保持较长时间的肌肉紧张感，这比做上几十个仰卧起坐要管用得多。

1. 基础运动程式

Asanas for the beginners

这部分包含了七个运动，介绍了Pilates运动的原理。每一个运动都提供良好的指导，你可以将这些指导运用到本书所有运动。它们亦有助发展你的动能中心及理解Pilates运动是怎样运作的。

当你着手做每一项运动时，切记要缓慢地进行，阅读所有指导并细看图片。当你已经学会怎样正确地做该项运动时，你的目的将会是改进你的技巧。一些精巧的细节将断定你是否正确地进行了Pilates的运动。

这七个运动亦会在“核心运动程式”以较困难的普拉蒂原创版本出现。你的最终目的是能够稳健及受控地完成“核心运动程式”中的运动。然而在进入这部分的练习之前，必须做好充分的准备。要是你因伤患而只能做到某动作的“基础运动程式”的姿势，即使你正确进行“核心运动程式”，也应该保留基础阶段的动作，并继续按照顺序进行练习。

运用“基础运动程式”以达到从Pilates运动中获取最大裨益。紧记在进行“核心运动程式”之前，应先充分掌握“基础运动程式”。最少要做六次“基础运动程式”才进入下一部分。按自己的准度进行并考虑以下各项:

1. 无需超出所建议的动作重复次数。要是该动作对你来说实在太困难，你大可减少重复次数。

2. 切勿仓促完成练习。对初学者而言，你必须以恰当的步伐正确地完成每一个动作，以便让你能纠正自己。太快的步伐有碍你察觉自己出错的地方。

3. 要是你在呼吸和动作的协调方面感到困难，不用担心。当运动开始连贯的时候，你将发现动作节奏和正确的呼吸是互相协调的。

4. “想像”有助你专注于技巧及怎样正确地利用你的动能中心。

伸展与松弛

假如你有需要，在每个运动完结时花一点时间做伸展与松弛运动。紧抱你的膝盖，尽量拉向你的胸前以伸展下背部，使你的腹肌得以歇息。

PILATES

The Hundred

百分百热身

这项运动为了帮助你集中呼吸，进行热身及促进你的血液循环，为接下来的运动程序做好充分的准备。

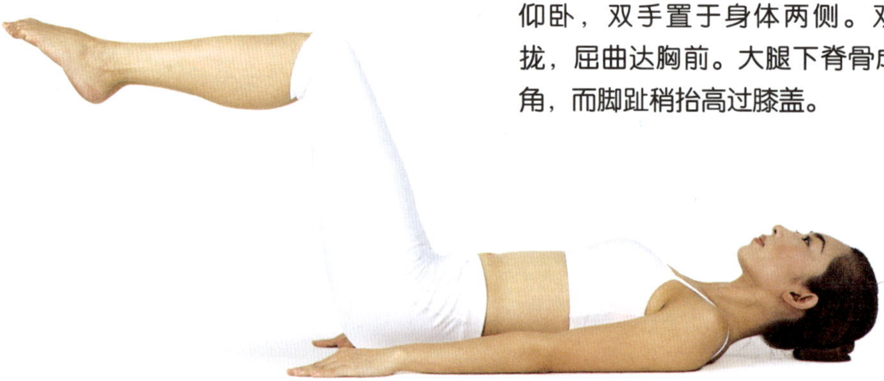

1.

仰卧，双手置于身体两侧。双膝并拢，屈曲达胸前。大腿下脊骨成90度角，而脚趾稍抬高过膝盖。

目的

以2~3组10秒动作为开始。当你渐趋强健，增加至10组10秒动作，这便是你“百分百热身”的目的所在。

曲影温馨提示

- 你的呼吸模式是一个长的吸气和呼气。尝试不要气喘。
- 借着将你的肚脐拉进你的脊椎，以保持背部“附”着地席。
- 你的两腿内侧须合起来，才能运用大腿内侧及臀部的力量。
- 假如你做这运动期间感到脖子疲倦，把你的头放在地席上。
- 要是你的脖子软弱，保持头部平放在地席上，或垫一个枕头，直至你的力气有所改善。

自我检讨

- 切勿将盆骨抬离地面倾向自己，保持在自然中轴位置。
- 带节奏并有力地泵动双臂，幅度约20厘米。
- 整个动作期间保持背部平坦，腹部收缩内曲。
- 沉肩。如果觉得颈痛可省略仰升上体部分，或卷一条毛巾置于脑后。

2.

凝聚身体轴心力量区域。向上提起头、颈，直至肩抬离地面。双臂抬起与地面成水平，保持腹部收缩内曲。

功效

这组动作帮助你调整一个正确的呼吸，它的模式是一个长的吸气和一个长的呼气，保持呼吸的稳定，尽量不要气喘。热身之后，可促进血液循环，增加身体的含氧量，为接下来的运动做好充分的准备。

连贯动作

把你的头放在地席上，紧抱膝盖至你的胸前。当你准备好后，把你的脚放在地席上，准备做“卷动”。

难度升级

双腿朝天花板高举蹬直，保持大腿与脊骨成90度角。

3.

当你快速地抽起及放下双臂的时候同时吸气，维持5秒。然后在再次抽起及放下双臂的时候同时呼气，维持5秒。

想像：在你吸气时，注满你的肺脏；在你呼气时，把你的肺脏腾空。

连环图

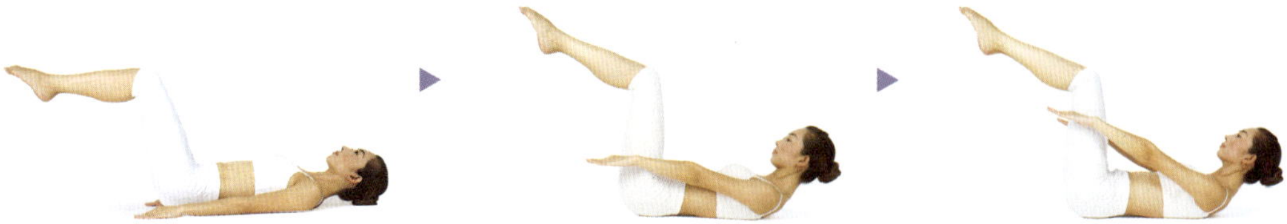

PILATES

The Roll-Up

卷动

这项运动教你如何运用你的腹部控制你脊椎的动作（活动），对增强你的背部有很大帮助。

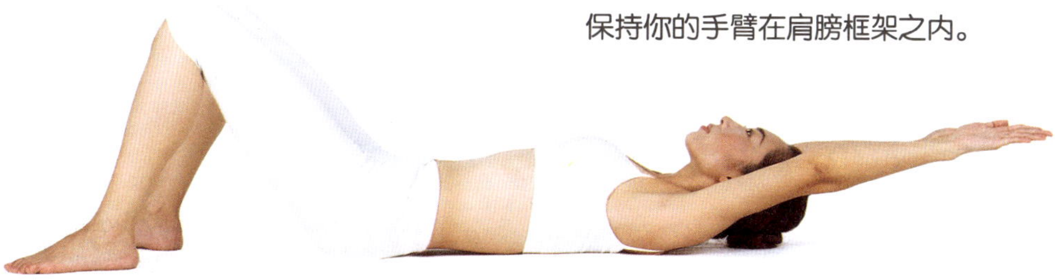

1.

双手向头顶方向伸展，直至它们位于你的后面，并与你的耳朵成一直线。保持你的手臂在肩膀框架之内。

目的

借着把肚脐拉进你的脊椎，将椎骨逐节卷起。

曲影温馨提示

- 借接合你的大腿内侧、大腿和臀部的背面，令双腿“紧附”着地席。
- 当你把双手越过头顶之时，不要让肩膀耸向你的耳朵。
- 当你向上或向下卷动的时候，连续不断地伸长双手。
- 当心不要在动作完结时向前伸得太远，以免你的动能中心失去控制。

自我检讨

- 切勿让肚子凸出，卷体时要保持腹部收缩内曲。
- 躯干提起时不要把背部像洗衣板般蹬直，脊骨就应保持圆曲，两肩不要缩起。

难度调整

双手沿腿的两侧滑行来辅助你缓缓上升和卷腿，但是这不代表你可以偷懒啊！注意力仍要集中在训练身体轴心和腹部。

2.

吸气并向上伸展双手，朝着天花板方向。双手继续向前伸展，提起你的下巴往胸前，把椎骨逐节卷起。

功效

这组动作主要针对你的脊椎，加强背部及肌腱的锻炼，修饰背部线条。同时使胃肠、肝、肾、排泄器官等机能活泼。对胃下垂和胃胀有辅助疗效。

连贯动作

把你的头放在地席上，紧抱膝盖至你的胸前。把你的脚放在地席上，准备做“单腿转圈”。

想像：当你向前卷起的时候，你的脊椎形成一个字母“C”。

3.

呼气的同时继续向前卷动。当你的手越过膝盖之时，双腿沿着地席伸直。伸直双腿时把大腿内侧合起来，双手向前伸长并与地席保持平行。

4.

吸气并颠倒动作，把椎骨逐节卷下来。强有力地把你的肚脐拉入。当你朝着天花板方向伸展双手及返回头顶方向的时候，同时呼气。

▶ 重复3~5次。

连环图

Single Leg Circles

单腿转圈

这组动作有效地增进灵活性及强健你的髋部，同时亦能增强你的动能中心及结实双腿。

1.

屈曲你的左腿，右腿向天花板方向伸展，稍微将腿移离髋部，保持你的脚伸长和放松。

想像：正在活动的那条腿如箭一般挺直。

目的

借脚绷直并绕圈的动作，使小腿灵活、大腿结实。

曲影温馨提示

- 当心你的臀部不要离开地席。
- 确保你举起的那条腿稍微地移离髋关节，并且保持挺直而伸长。
- 由腹部调动每一个圆圈。
- 当你的腿正在画圆圈的时候，你的脚不要到处移动。
- 屈曲着的那条腿不应向两侧摆动。
- 保持所画的圆圈细小而受控。

自我检讨

- 维持自然盆骨位置。旋腿时盆骨不能左右前后地移动，尾龙骨要一直贴在垫上，通过腹部肌肉的收缩来带动腿的动作。
- 目标是臀部、膝盖和着地的脚调准至一直线，旋圈时不要变成S形。
- 沉肩。肩膀千万不可缩起，要贴在垫上。
- 伸长双臂紧按垫子。

2.

吸气并向内对着屈曲的腿转圈，向下，环绕，然后向上。当你转向中央时呼气。

▶ 重复5次。每个圆圈之后停顿片刻。

功效

这组动作能加强髋部的灵活性，同时锻炼腿部的肌肉，使腿部更加健美结实，同时可以预防静脉曲张。

难度调整

如果伸不直脚，可以微微屈曲，重点是盆骨别倾往自己的方向，要保持水平。

连贯动作

紧抱膝盖至你的胸前，然后将你的脚伸长放在地席上，逐渐地从地席上坐起来，把椎骨逐节卷起，准备做“球式卷动”。

3.

把腿放下，再次向内提起，与鼻成一直线，然后反方向转圈。

▶ 重复5次，接着用左腿重复动作。

连环图

PILATES IS,

WHICH IS PROFOUND PHILOSOPHY ,

IS SERENITY TO REACH

THE LONG DISTANCE.

普拉蒂——

一种深奥的哲学，

一种宁静致远的境界。

PILATES

Rolling Like a Ball

球式卷动

这项运动能有效训练你的平衡力，并按摩负责支撑脊椎的肌肉，亦有助强健你的腹部。

1. **把你的脚后跟贴近臀部，双手放在大腿之下，两肘向旁伸展。两脚合起来，膝盖稍微分开。把你的下巴带到胸前，双脚离开地席并稍微地往后倾身。将你的肚脐拉进脊椎。并运用尾椎骨作平衡以维持姿势。**

想像：

你正夹着一个球在你的腹部弯曲处。

目的

以平衡力和控制力卷动，运用你的动能中心开始及维持动作。

曲影温馨提示

- 你的脚后跟应该一直贴近你的髋部，那么动作便不会以你的双腿为起点。
- 保持你的肩膀放松及向下。
- 当你向前或向后卷动时，尝试将你的肚脐深深地拉进脊椎。
- 动作期间保持你的头部于同一曲线上，并且不要往后卷动。

切勿翻至颈椎位置，滚动到肩胛骨就要停住。

自我检讨

- 不要通过仰头来开始动作，下巴要靠拢胸口。
- 背脊要维持拱曲，任何时候也不可伸直，腹部内缩。
- 注意沉肩，肩膀不要弓起。
- 身体保持球状。大腿与胸部的角度，以及小腿与大腿的角度，都要保持不变，不要一滚向后就甩开脚。
- 动作的流畅性非常重要，翻回预备位置时要双脚离地找回平衡点。

2. 吸气并向后卷动，直至肩膀底部，保持下巴伸向胸前，受控地卷动。

功效

这组动作能有效训练你的平衡能力，并按摩负责支撑脊椎的肌肉，同时强健你的腰背力量，按摩内脏器官，促进性腺荷尔蒙分泌。

连贯动作

把椎骨逐节放下来，紧抱膝盖至你的胸前，准备做“单腿伸展”。

3.

呼气并向前卷动，保持腹部紧缩，以竖立的姿势平衡，你的脚尝试不要碰到地席。

▶重复6次。

连环图

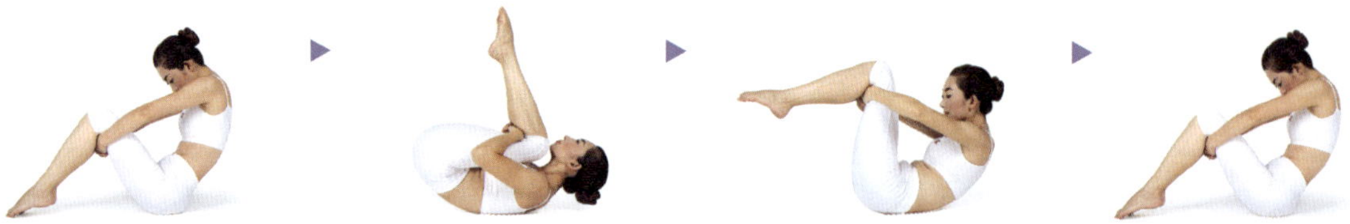

Single Leg Stretch

单腿伸展

这项运动主要锻炼你的协调能力及身体平衡力，伸展双腿期间亦能有效强健你的动能中心。

1.

吸气并将你的左膝带到胸前。你的右手放在左膝上，左手放在你的左足踝外侧，保持两肘张开。右腿离开地席提起约60度并向天花板伸长。

想像： 你的肚子上面有一些沉重的书藉将你的腹部压下。

目的

当你的动能中心渐趋强劲，目的是向地席放下你的腿以增强锻炼。这变化动作会在“核心运动程式”中展示。切勿将你的腿放低于髋部水平。

曲影温馨提示

- 让臂和腿的动作与你的呼吸相协调。
- 检查你的髋部、膝盖和足部是否成一直线。
- 你的身体中央、头和颈应该保持不动。
- 不要将身体抬起超出肩叶底部。

稳定“轴心盒子”，勿左右摆动。

自我检讨

- 将膝盖拉近胸前时，切勿将盆骨抬离地面倾向自己，保持在自然中轴位置。
- 整套动作中，头不要仰后，上身要抬起。
- 手指向外。
- 背部平坦，腹部内曲。
- 双脚与躯干调准成行。
- 沉肩。如果觉得颈痛，可省略仰升上体的部分，或卷一条毛巾置于脑后。

2.

将你的下巴带到胸前，并把你的肩膀抬起离开地席。把肚脐紧紧地拉进你的脊椎。

曲影温馨贴示

假如你的膝盖软弱，把双手放在膝盖下面的大腿上。

功效

这组动作主要锻炼你的协调和平衡能力。可彻底伸展大腿肌肉，使腿部筋骨富弹性，美化双腿线条。同时可以排除肠胃涨气，治疗便秘。

连贯动作

把你的头放下来，紧抱两膝至你的胸前，准备做“双腿伸展”。

3.

保持你的头部抬起，呼气并交换双腿和手的姿势。你的躯干应维持不动，背部平躺在地席上。

▶ 重复3~5次。

连环图

▶

▶

Double Legs Stretch

双腿伸展

这项运动在你伸展你的臂和腿的时候，有助增进你的协调能力、呼吸和动能中心的效力。

1.

将你的膝盖带到胸前，双手放在足踝上，将你的下巴带到胸前并将你的肩膀抬起离开地席。把肚脐紧紧地拉进你的脊椎。

目的

当你的动能中心渐趋强劲，如“核心运动程式”中所展示般放下你的腿。切勿放下你的腿低于髋部水平。

曲影温馨提示

- 两腿应在你的大腿内侧“紧附”一起。
- 当你的手延伸至后面的时候，切勿让你的头坠下来。

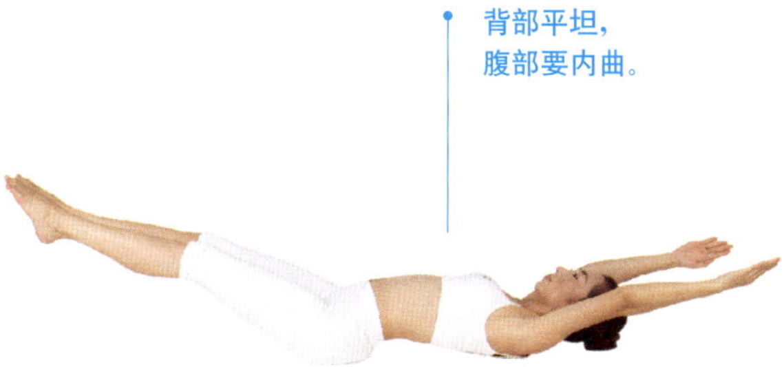

自我检讨

- 将膝盖拉近胸前时，盆骨勿抬离地面倾向自己。
- 拉进膝盖时，手指向外。
- 由指尖开始，伸长手臂。
- 伸展时，双脚作“普拉蒂站姿”。
- 沉肩。
- 整套动作中，头不要仰后，上身要保持稳定。

2.

把你的手往后伸延，直至它们与你的耳朵成一直线，同时吸气。与此同时，两腿向天花板方向伸直，确保它们紧紧地合在一起。你的腿应离地席60度，或在你的下背部开始卷起的时候提高一点。

想像：有一个魔球将你的腹部压下。

功效

这组动作有助于拉长腿部和手臂的肌肉。同时可以扩展胸腔，促进深呼吸，加强肺叶尖端气体之交换，并增强肺部功能。

连贯动作

把你的头放下来，紧抱两膝至你的胸前，然后把两腿伸长放在地席上并把椎骨逐节卷起，从地席坐起来，准备做“脊椎前伸”。

3.

呼气，当你放下两腿至胸前的同时，把双手向前围绕。握着足踝，维持2秒。

▶ 重复3~5次。

连环图

Spine Stretch Forward

脊椎前伸

这项运动能令你感觉到每节椎骨之间的长度，对增进脊椎的灵活性具有极佳效果。此外，亦有助增强动能中心及伸展你的腿背。

1.

坐直腰板，伸直双脚，打开至稍宽于盆骨。脚趾上屈后蹬，感受大腿后腘绳肌的伸展。手臂平肩举起，与双脚成一水平线。

目的

当你的灵活性有所改善时，努力挺直你的两腿。

曲影温馨提示

- 你的膝盖和脚应向着天花板，两腿不应旋转。
- 继续望向你的肚脐，直至你挺直地坐着。
- 当你的双手伸向前方的时候，保持你的臀部“紧附”着地席。
- 运用你的腹部卷起每一节椎骨。

双手要和地面平行，向前伸长。

自我检讨

- 锁定盆骨两边水平。脊骨向前伸展时，盆骨不要倾前。
- 清晰地将脊骨逐节地移动向前，再叠回，背部像一块木板的倾前反后。
- 压下肩胛骨，沉肩而不要弓起膊头。膝盖和脚趾朝天，用大腿力量阻止它们向外反出。

想像：你正在把一个球卷起来。

2.

当你伸手向前的时候，把你的下巴带到胸前并把肚脐紧紧地拉进你的脊椎。从你的头顶向尾椎骨弯曲形成一个“C”，同时呼气。

功效

这组动作令你感到每节脊椎骨之间的长度，增进脊椎的灵活性，促进全身血液循环，增进活力。同时帮助增强力量区域及伸展你的腿背。

连贯动作

卷下返回地席上，准备开始“核心运动程式”。

3.

再次起来，吸气并做相反动作，直至挺身而坐。由你的髋部提起以令背部平直。

▶ 重复3次。

连环图

Pilates is a method of
physical and mental
conditioning.
A method is
a means used to
attain an end

---

the conditioning
of the mind
and body into
a fused state
of readiness.

一种身体和
精神状态的锻炼方法
这种方法
是可以达到某种境界
使精神和身体处于
一种积极的状态

2. 核心运动程式

the heart of the sport

这部分包含了七个你在“基础运动程式”中所学习的运动，但以更进一步的形式出现，是Pilates的原创运动。此外，亦包含了许多额外的运动，待你充分掌握“基础运动程式”之后，才适合进行这些运动。

在你开始做“核心运动程式”之前，应最少完成六个“基础运动程式”。一旦你可以从容地进行“基础运动程式”，并运用你的动能中心操控这些动作，你便可更进一步。完整的“核心运动程式”应是已经学过的七个运动的进阶版本，再加上“脊椎前伸”之前的三个新运动所组成。当你感觉已有充分的准备时，你可按本书出现的顺序，添加新的运动。

何时添加新运动是你的选择，应以你的体力强弱为基础。当你增添每一项新运动的时候，尝试监测身体的反应。举个例，要是你的腿筋感到绷紧，开始做“单挺腿”的时候你可能会觉得很困难。至于其他部位，你便不能完成该项运动，因此会有损伤的风险。你需要避免那些令你感到不舒适或太紧迫的动作。如果该项运动包含初学者的变化动作，那么可以仿效该动作，直至你的体力有所改善。

想像

出现在每一项运动的页首部分，同时扮演着一个重要的角色，增进你对动作的警觉性。它们亦维持你的专注力于运动中任何潜在的困难，以助你正确地进行该运动。花一点时间阅读及履行每一个想像，你将会察觉到它对你的技巧有何帮助。

连贯

从一个运动连贯到下一个运动的缓急和流畅是“核心运动程式”的关键原则。运用“连贯动作”一栏的资料有助你以尽量微细的动作从一个运动连贯到下一个动作。为达到此目的，由 “侧腿踢系列”开始，要求你在转身重复该运动之前，先以其中一边身体完成整系列动作。这样做避免了不必要的转身动作。

怎样及何时使用这种运动程式

你应该多久做一次“核心运动程式”并没有硬性的规定。为达到最理想的效果，建议每星期做四次，即便你做的次数较少，你仍然能够从中获益。假如你没有足够的时间做完整系列“核心运动程式”，你可以只做你从“基础运动程式”中学过的七个运动。有些人选择以“百分百热身”作为一天的开始，以促进他们的血液循环及令自己醒过来。而另外一些人则选择几乎每天都做“核心运动程式”。

The Hundred

百分百热身

这是一项热身运动，两臂的动作增进你的血液循环，呼吸有助运转你的肺脏。完成了这项运动，你将会感觉到身体温度上升。

1.

躺下，双手在两旁伸长，掌心平放于地席上，屈曲双腿，把它们带到你的胸前并以双手轻轻地握着。把肚脐紧紧地拉进你的脊椎。

目的

当你逐渐强健，可以放下双腿以增加难度。

曲影温馨提示

- 当你的头部抬起时，你的肩膀底部必须贴着地席，向前望着你的肚脐。
- 当你伸手向前的同时，想着你正在把肚脐向内拉进，而双腿由你的髋部延伸出来。

功效

这组热身动作可以通过双臂的运动来改善体内的血液供应和肺部功能，提升警觉性，减少运动伤害。

连贯动作

把你的头放在地席上，紧抱两膝至你的胸前。把两腿伸长放在地席上，准备做“卷动”。

进阶变化动作

当你的体力渐趋强健，放下腿以增强效果，但以不低于视线水平为限。确保你的背部一直平放在地席上，而你亦无须使劲地维持姿势。

背部平坦，腹部内曲。

自我检讨

- 将膝盖拉近胸前时，切勿将盆骨抬离地面倾向自己，保持在自然中轴位置。
- 整套动作中，头不要仰后，上身要抬起。
- 伸展时，双脚作“普拉蒂”站姿。
- 沉肩。如果觉得颈痛，可省略仰升上体的部分，或卷一条毛巾置于脑后。

想像：你正运用你的双手拍球。

2.

你的脚往天花板方向伸长，当你占用你的动能中心的同时，你的双腿应该是“紧附”一起的。把肩膀提起离开地席并向前望着肚脐。双手伸展与肩膀成一直线，双手快速地上下拍打5秒，同时缓慢地吸气。再次拍打5秒，同时呼气。

▶ 重复5~10次。

连环图

The Roll-Up

卷动

这组动作能有效地增进灵活性及强健你的髋部，同时亦能增强你的动能中心及结实双腿。

1.

平躺于地席上，双手朝头顶方向往后伸展，直至它们与你的耳朵成一直线。

目的

藉着把肚脐拉进你的脊椎，将椎骨逐节卷起及放下。

曲影温馨提示

- 当你向上或向下卷动的时候，连续不断地伸长双手。
- 进行这项运动时切记不要把两腿升起离开地席。
- 不要把你的身体倾前倒塌，运用你的动能中心保持脊椎成一弧线。
- 当心不要向前伸得太远，以免你的动能中心失去控制。

自我检讨

- 双臂举至越过头部的位置时，切勿拱起中背和下背，离开垫子。
- 抬升上身时，别弓起肩膀，注意要沉肩。
- 不要凸出肚子，卷升时，腹部收缩内曲。
- 动作要缓慢受制，勿使用冲力来启始卷升步骤。
- 膝盖和大腿内侧并拢收紧。

2.

吸气，朝天花板举高双手，提起头，下巴抵达胸前。

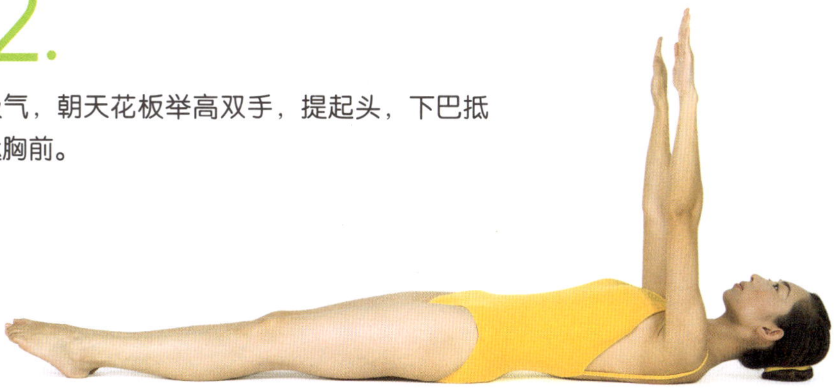

功效

这组动作主要针对你的脊椎，加强背部及肌腱的锻炼，修饰背部曲线，同时使胃肠、肝、肾、排泄器官等机能活泼，还可以预防自律神经失调。

连贯动作

把你的头放在地席上，准备做“单腿转圈”。

想像：当你向前卷起的时候，你的脊椎形式一个字母“C”。

3.

继续向前卷起的同时呼气，向前望着你的肚脐并把双手向前伸长。

4.

吸气并向前伸展双手，每次把椎骨逐节卷下来。继续向前望着你的肚脐，当你继续卷下来的时候同时呼气。最后，朝头顶方向往后伸展双手，直至它们与你的耳朵成一直线。

▶重复3~5次。

连环图

Single Leg Circles

单腿转圈

这项运动能有效地增进灵活性及强健你的髋部，同时亦能结实你的双腿。

1.

双手放身体两旁，掌心向下，伸出你的腿，左腿向天花板方向伸展并由髋部稍微地向里转动，保持足部伸长。

想像：你的腿如箭一般挺直。

目的

当你转圈的时候把脚往身体上方伸展，目的是要令圆圈连贯起来，尤其在向上摆动的时候。

曲影温馨提示

- 当你转圈的时候，不要让地席上的脚或髋部向两侧摆动。
- 当你的脚或腿向着天花板伸长的时候，不要把它拉紧。
- 保持地席上的脚处于正中，并稳固地伸出。

自我检讨

- 肩、背和手臂要牢牢地按在垫上。
- 稳定盆骨在自然中轴位置，做动作时盆骨不能左右前后地移动。
- 转圈的一脚保持“普拉蒂站姿”，着地的另一脚则维持稳定。

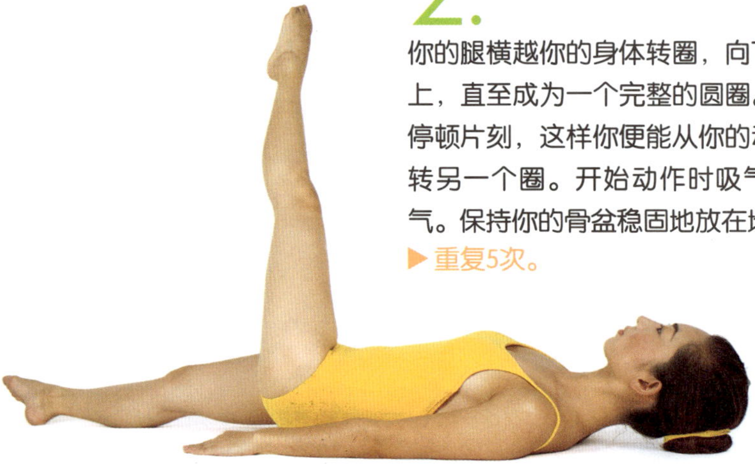

2.

你的腿横越你的身体转圈，向下、环绕及向上，直至成为一个完整的圆圈。每个圈之后停顿片刻，这样你便能从你的动能中心开始转另一个圈。开始动作时吸气，完成时呼气。保持你的骨盆稳固地放在地席上。

▶重复5次。

功效

这组动作能加强髋部的灵活性，同时锻炼腿部的肌肉，减少赘肉，使腿部更加健美结实，同时可预防静脉曲张。

连贯动作

紧抱膝盖至你的胸前，然后把你的脚伸长，放在地席上，逐渐地从地席上坐起来，把椎骨逐节卷起，准备做“球式卷动”。

难度调整

如果伸直脚的同时，盆骨总是倾后，可以微微屈膝。

3.

反方向转圈，向下，横越你的身体，然后返回中央。

▶重复5次。交换双腿并重复整个运动。

连环图

Rolling Like a Ball

球式卷动

这运动对训练你的平衡力及按摩脊椎具极佳效果，控制力源自你的动能中心。

想像：你的身体紧紧地向内卷曲而形成球状。

1.

把你的臀部提起贴近脚后跟，双手绕着足踝，两肘展开。保持两脚合起来，膝盖稍微分开。让你的下巴停放在胸前，双脚离开地席并稍微地往后倾身，脊椎成一弧形。运用尾椎骨作平衡以维持姿势。

目的

以平衡力和控制力卷动，运用你的动能中心开始一个流畅而连贯的动作。

曲影温馨提示

- 你的脚后跟应该一直贴近你的髋部，那么动作便不会以你的双腿为起点。
- 动作期间你的头部应停留在同一曲线上。

自我检讨

- 不要仰起头来启始动作，下巴要靠拢胸口。
- 背脊维持拱曲，任何时候也不可以伸直，腹部内缩。
- 注意沉肩，肩头不要弓起。
- 身体保持球状:大腿与胸部，以及小腿与大腿的角度，都要保持不动，不要一滚向后就甩开脚。
- 每次翻回预备位置时，要在双脚仍离地时煞停，同时找回平衡。
- 动作的流畅性和控制非常重要，不要滚动太快。

2.

当你往后卷动至肩膀底部的同时，吸气并集中在你的肚脐。

功效

这组动作能有效训练你的平衡能力，并按摩负责支撑脊椎的肌肉，放松脊柱神经、背部肌肉群，促进背部血液循环，强化腰椎、骨盆，同时促进荷尔蒙分泌。

连贯动作

双手贴近髋部，把你自己抬起并移动至地席中央。把椎骨逐节卷下来，准备做“单腿伸展”。

3.

运用你的动能中心，以平衡的姿势再向前卷起，起来的时候，维持足部离开地席，并同时呼气。

▶ 重复6次。

连环图

The Pilates Method is a program that improves muscle control, flexibility, coordination, strength and tone through physical and mental conditioning.
普拉蒂——一种能够改善你的肌肉控制能力、柔韧性、协调性，并增强力量的运动。

Single Leg Stretch

单腿伸展

这是“腹部系列”的第一个运动。当你渐趋熟练，可连贯地进行腹部系列的五个运动而无须变动你的躯干位置。这项运动对锻炼及结实腹部有显著的功效。除此之外，亦可矫正身体的协调能力。

1.

将你的左膝带到胸前。你的右手放在左膝上，左手放在你的左足踝外侧，保持两肘张开。右腿向前伸出，离开地席成一个角度，以助维持背部平衡，将你的下巴带到胸前并把你的肩膀抬起离开地席。把肚脐紧紧地拉进你的脊椎并吸气。

想像：你的肚子上面有一些沉重的书藉将你的腹部压下。

目的

当你渐趋强健，脚底沿地席掠过，以伸长你的腿。

曲影温馨提示

- 做这项运动期间，确保你的髋部、膝盖和脚成一直线。

功效

这组动作可以加强身体的协调能力，加强腹部肌肉，同时排除腹部脏气和浊气，可以减缓便秘症状。

自我检讨

- 稳定“轴心盒子”，盆骨不要前后左右倾动。
- 手指向外。
- 背部平坦，腹部内曲。
- 腿部调准位置，尤其注意脚趾、膝盖、盆部要排列成行。
- 沉肩。

连贯动作

把两膝带到你的胸前，并维持姿势，准备做“双腿伸展”。

难度升级

保持“轴心盒子”稳定的同时，将伸展的那条腿下降至地面，屈曲的一腿拉至贴近胸前。

难度调整

减少朝天花板伸展一腿的倾斜角度，直至你可以同时维持自然脊骨位置。

如果你有膝患，改握大腿的底部。

2.

交换双腿和手，你的躯干应维持不动，背部紧贴在地席上。这是一组动作。当你重复的时候呼气。完成十组动作。

连环图

Double Legs Stretch

双腿伸展

这是一项呼吸运动，身体从动能中心向两方伸长。这项运动要依赖强健的动能中心才能恰当地进行。

1.

双手围绕着足踝，把你的下巴带到胸前并将你的肩膀抬起离开地席。把肚脐紧紧地拉进你的脊椎。

目的

当你拥有强劲的动能中心，你便能进一步放下你的腿以增强锻炼。

曲影温馨提示

- 做运动的时候切勿让你的头往后坠下，整个运动期间维持头部于同一位置。
- 紧记，当你运用你的动能中心延伸臂和腿的时候，你的躯干应紧贴着地席。

功效

这组动作有助于拉长腿部和锻炼手臂的肌肉。同时可以扩展全身，促进深呼吸，加强肺叶尖端气体的交换，强化呼吸器官功能。

进阶变化动作

当你渐趋强健，放下你的腿以增强锻炼，但以不低于视线水平为限。确保你的背部一直平放在地席上，而你亦无须使劲地维持姿势。

连贯动作

保持这个姿势，准备做“单挺腿”。

2. 把你的手往后伸延，直至它们与你的耳朵成一直线，同时吸气。与此同时，两腿伸直，离开地席45度。藉接合内腿及臀部，把两腿紧合在一起。

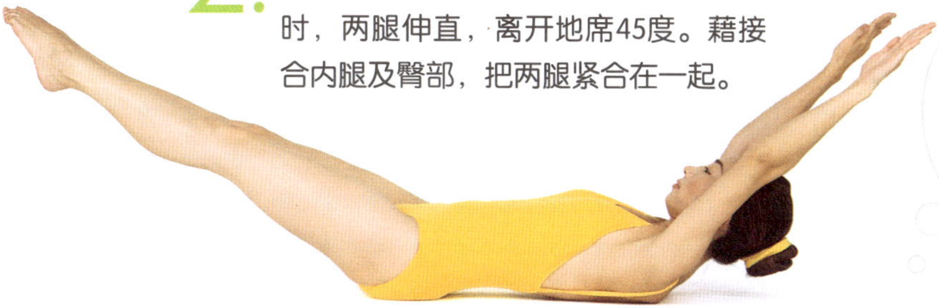

想像：你的身体正朝着两方被拉紧。

3. 双手向前围绕。与此同时，把两腿带到胸前，确保它们仍然紧合在一起，直至你的背部返回原来的位置。

▶ 重复5~10次。

连环图

Single Strainght Leg

单挺腿

这项运动能有效地伸展你的腿背及强健腹部。

1. 左腿向着天花板举起而右腿恰好离开地席。把你的下巴带到胸前，并将肩膀提升离开地席。双手伸往举起的那条腿，并尽可能把手放到最高位置。当你将在上的那条腿向着自己压两次的同时，吸气，保持该腿挺直，在下的一条腿则从髋部伸出。

想像：你的腿有如时钟指针般挺直而坚固。

目的

当你的控制能力取得进展，可以更快的速度调换双腿及改变你的呼吸模式为两组吸气和两组呼气。

曲影温馨提示

- 运动期间保持你的躯干紧贴着地席。
- 确保你的腿与身体中央成一直线。
- 当你向上伸手握着你的脚的时候，不要连扣着你的手指，你需要容易地交换双手。
- 当你举起双手握着你的足踝的时候，不要让你的肩膀底部离开地席。
- 运动期间你的肘应保持放松及展开。

功效

这组运动能有效训练你的控制能力，伸展你的腿背，感觉整条腿的筋被拉开。同时可以促进脚踝的血液循环，治疗脚部淤血，肿胀。预防小腿抽筋。

自我检讨

- 沉肩。
- 调准双脚姿势，脚跟、膝盖、盆部成一直线。
- 手指向外。
- 用手轻轻拉扯摆进胸前的腿；别用双臂来帮助你提高上身，要用腹部。

连贯动作

把两膝带到你的胸前并维持这个姿势，准备做“双挺腿”。

难度升级

手延长伸直于躯干两侧。

2.

以“剪刀”动作交换双腿，而无须把双手放下来。呼气，重复这组动作。

▶ 重复5~10次。

连环图

Double Strainght Legs

双挺腿

这是“腹部系列”的第四个运动，对锻炼动能中心具极佳效果。

1.

仰卧，双手置于脑后。两手掌交叉叠起，但不要交叉手指。向天花板伸直举高双腿，双脚大腿并拢夹紧。从垫子上提起头和肩。

目的

当你拥有强劲的动能中心，你便能进一步放下你的腿以接受更大的挑战。

曲影温馨提示

- 尽量不要让你的腿落下，迅速地把它们向上提起，但动作是受控的。
- 不要把头部后面的手指连扣。

功效

这组动作充分锻炼了大腿肌肉，强化腹肌、调整内脏，刺激腰椎，同时可调节生理异常现象。

进阶变化动作

当你渐趋强健，放下你的腿以增强锻炼，但以不低于视线水平为限。确保你的背部一直平放在地席上，而你亦无须使劲地维持姿势。

连贯动作

把两膝带到你的胸前，准备做“交叉扭动”。

想像：你正稳固地夹住一张纸在你的两腿内侧。

2.

吸气，并缓慢地降下双腿。当感觉下背就要提离地面时，便立刻停下来。

3.

呼气，并把两腿带到开始时的位置，比向下动作稍微加快速度。

▶ 重复5~10次。

连环图

PILATES

Crisscross

交叉扭动

“交叉扭动”是腹部系列的最后一个运动。这项运动主要针对一组被称为外斜肌的肌肉，有助修整腰部线条。

1.

把膝盖带到前面，直至你的大腿与地席成90度角。在你的头后面把一只手放到另一只手之上，将肩膀提起离开地席。

目的

保持两肘张开的同时，尽最大幅度扭动。

曲影温馨提示

- 集中运用你的腰扭动而不是运用你的肩膀扭动。
- 当你的腰扭动的时候，保持你的下身位置在正中，尽量不要左右摆动。
- 假如你的背部在你将腿放下至45度的时候拱起，可以把你的腿提高一点，直至你的背部平直。

自我检讨

- 用腰腹扭动，而非颈或肩膀。
- 不要让下方的手指碰地。
- 扭身时将上臂的腋下带近屈曲的膝盖。
- 左右扭动时，尤其躯干越过中线之际，肩膀和上背要保持离地。
- 凝聚轴心肌肉，以稳定盆骨于自然中轴位置。
- 扭动时，眼睛朝后方的手肘望去。
- 维持一个缓慢稳定的节奏。
- 沉肩。

想像：你的腰正在扭动并且朝反方向扭开。

2.

把你的右腿伸出至45度角的同时，吸气。运用你的腰扭动上身并将你的右肘带到左膝，你的肘应该是张开的。

曲影温馨提示

要是你的脖子或下背部软弱，省略这个运动，直至你的体能有所改善。

功效

这组动作有良好的细腰效果，同时可以矫正脊椎，治疗腰痛，还可强化肝脏、肾脏功能。

连贯动作

把头放下，紧抱膝盖至你的胸前。然后把你的脚伸长放在地席上，并逐渐地把椎骨逐节卷起，准备做“脊椎前伸”。

3.

交换双腿并环绕扭动的同时，吸气。往后望向你的右肘。

▶ 重复5~10次。

连环图

It works by building strength from the inside——
out and rebalancing the body.

从身体内部增强外部力量，重新建立人体新的平衡。

PILATES

Spine Stretch Forward

脊椎前伸

这项运动对脊椎伸展具良好效果。它利用你的腹部，延伸你的腿背并引起你注意你的姿势。

1.

两腿向前伸展并把它们打开至恰好超过髋部宽度。屈曲你的足部，双手伸长并提起至肩膀高度。当你吸气的同时，接合你的臀部并挺直你自已。

目的

顺畅地卷曲起来，每当你接合你的动能中心的时候能进一步延伸你的背部。

曲影温馨提示

- 在你向前伸展之前，你必须挺身并保持你的髋部紧贴着地席。
- 尽量不要让你的肩膀耸起绕着你的耳朵。
- 一旦你的头已伸向前方，一直望着你的肚脐以助脊椎形成一个弧形。
- 运动期间你的膝盖应该面向天花板，而你的足部应该是屈曲着的。

功效

这组动作令你感到每节脊椎骨之间的长度，增进脊椎的灵活性，促进全身血液循环，增进活力。同时帮助增强力量区域及伸展你的腿背。

连贯动作

两腿合在一起并移向地席前面，准备做“摇篮式两腿伸展”。

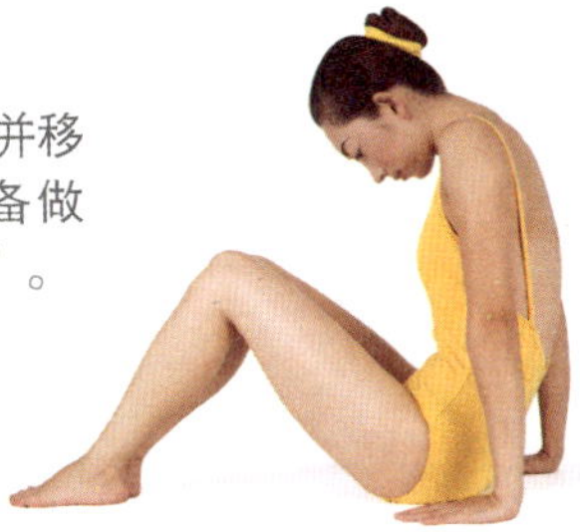

想像：你正在卷着一个球。

2.

当你伸手向前的同时，把你的下巴带到胸前并将你的肚脐紧紧地拉进你的脊椎。从头顶往下至尾椎骨形式一个“C”弧形，同时呼气，起来的时候吸气并倒转动作，直至你挺身而坐。呼气。

▶ 重复3~5次。

连环图

PILATES

Open-leg rocker

摇篮式两腿伸展

这项运动能训练你的平衡力和控制能力，锻炼你的动能中心及提供一个极佳的伸展，还有着镇定精神的效力。

1.

坐着，双腿屈曲，膝盖与肩膀同宽，握着你的足踝。将肚脐紧紧地拉进脊椎并向后倾斜以平衡你的臀部。

目的

平衡和受控地进行这项运动，那么当你摆动至坐着的姿势的时候，你便能立刻平衡。

曲影温馨提示

- 当你往后摆动的时候，切勿把你的头后倾。
- 以强有力的动作往后摆动，发挥你动能中心的能量。
- 假如你发现这动作困难，可在进入步骤3之前，多练习几次步骤2的平衡部分。

自我检讨

- 沉肩。
- 挺胸。
- 使用轴心肌肉起始动作。
- 翻滚时，不要再调动双手的位置或屈曲手指。
- 切勿翻至颈椎。
- 向前滚动来回时动作要流畅均匀。
- 不要仰头；下巴靠拢胸口，眼睛看向肚子。
- 背脊维持拱曲，腹部内缩。

连贯动作

把你的腿以Pilates的站立姿势并合一起，同时双手从腿背滑落。卷下来返回地席上。双手贴近两侧而你的腿仍然举起，准备做“螺旋式转动”。

2.

伸直双脚于空中摆出“V”形姿态。双脚脚掌相距与肩宽相同，手臂要直。保持挺胸和脊骨伸长。

初学者的变化动作：两腿交替地挺直，保持它们与肩膀同宽，练习平衡。

想像：你的臂和腿有如箭一般挺直。

功效

这组运动锻炼了你的平衡力和控制力，同时你会发现，它有着镇定精神的效力。你会感觉你的手臂和腿部有如箭一般直挺有力。

难度调整

由握住脚踝改为握住小腿，但仍然要蹬直双腿。

难度升级

脚跟后蹬，手抓紧脚趾。

3.

向后滚翻到肩触地的角度。呼气的同时，向前滚动至启始姿势的平衡点。

连环图

PILATES

The Corkscrew

螺旋式转动

这项运动是展现如何发挥你的动能中心的极佳范例。普拉蒂为这项运动设计了三个阶段，这是第一个阶段，最适合初学者。

1.

仰卧，手臂置身体两侧，伸展双腿朝天花板举高。大腿与脊骨成90度直角。拉进轴心肌肉，以稳定盆骨的自然中轴位置。

想像：正用你的腿在空中划圈。

目的

当你转圈的时候把双腿放下以进一步接合你的动能中心。

曲影温馨提示

- 要是你发现做这项运动很困难，可以把双手放在你的尾椎骨以作承托。
- 当你运用你的腿转圈的时候，你必须接合你的臀部及腹部。
- 保持两肩贴在地席上。

自我检讨

- 每次开始划圈时吸气，呼气去完成一个圆圈。
- 肩、背和手臂不动的稳贴垫面。
- 固定盆骨于自然中轴位置，不要前后左右的移动。
- 双腿持续作“普拉蒂站姿”。

2.

吸气，并用你的腿向右方及下方画圆圈。当你完成整个圆的时候呼气。

曲影温馨提示

假如你的脖子或下背部软弱，这项运动也许不适合你。要是你感到疼痛或不适，可省略这个运动。

功效

这组动作可以提高你的协调性，可以减少髋部和腿部的赘肉。强化腹肌，促进肩部血液循环。

难度升级

- 逐渐增大划圈的幅度。
- 每次双腿将要完成一次划圈时，盆部提起，带动双腿向上旋越头部。幻想自己运用双腿绕着身体像一个圆规般划圈。

连贯动作

紧抱膝盖至你的胸前，把你的脚伸长放在地席上并把椎骨逐节卷起，准备做“往复摆动”。

3.

倒转圆圈至左方，当你的腿转圈的时候，确保你的肩膀不要离开地席。

▶重复3~5次。

连环图

PILATES

The Saw

往复摆动

“往复摆动”是一项呼吸运动，作用是腾空及净化你的肺脏。它对于腰部及髋部亦是一种极好的伸展。花一点时间在这项运动上，因为它比表面上看起来更加困难。

1.

挺身而坐，把你的腿向前伸出并把它们张开至比肩膀略宽。屈曲你的足部，双臂向两旁伸出并且进一步挺身而坐。把你的肚脐紧紧地拉进你的脊椎。

目的

用你的腰来扭动，而臀部无需离开地席，以伸长双臂及腾空你的肺脏。

曲影温馨提示

- 当你扭动及延伸的时候，保持你的脖子放松。
- 由你的腰肢开始旋转，而不是运用你的肩膀或髋部。
- 将你的髋部及臀部紧贴于地席上。
- 当你向前延伸的时候，保持你的手与小脚趾成一直线。

自我检讨

- 从腰腹位置开始扭动。
- 盆骨和双腿维持稳固贴地。
- 保持盆部两边水平；前伸时，盆部不要倾前。
- 腹部收缩内曲。
- 后臂提高，抗衡前臂。
- 前伸时不要弓起肩膀，要沉下肩胛骨。

想像：你正在试着锯开你的小脚趾。

2.

呼气，并将头潜向右膝。右手前伸，手尾指瞄准右脚尾指。持续前展身体。

功效

这组动作可消除腰部的赘肉，锻炼髋部的灵活性。同时可以腾空及净化你的肺脏。

连贯动作

把你的腿合起来并以一个动作转身，腹部躺着，准备做“脖子卷动”。

3.

吸气并运用你的动能中心把椎骨逐节卷起来。返回中央并向相反方向重复动作。

▶重复4次。

连环图

Neck Roll

脖子卷动

这项运动能强健及伸展下背部和脖子。要安全及正确地进行“脖子卷动”，你必须集中运用你的动能中心。

1.

如图，把你的手放在肩膀之下。提升你的头和胸，吸气。当你完成提升动作时，呼气。

想像：你的上背部正在被一条绳子向上拉。

目的

把你的手放在肩膀之下进行背部屈曲。

曲影温馨提示

- 受控制地把身体放到地席上。
- 要是你在开始时发现把你的手放在肩膀之下很困难，可以把它们放在较前的位置。
- 紧记当你拱起背部的时候，你的腹部范围一直是升起的，而你的耻骨则放在地席上。
- 假如你的下背部软弱，这项运动也许不适合你，要是你在做这项运动期间下背部感到不适，开始的时候可以把双手放在较前的位置。

自我检讨

- 头和脊骨成一直线；不要仰头，尤其提升上身之际。
- 不要放松腹肌，肚脐拉进脊骨。
- 双腿肌肉要持续用劲。

2.

轻轻地转动你的头望向你的左肩，自然地呼吸。你的动能中心应持续地接合着，而你的肩膀是向下的。

功效

这组动作可以强健及伸展脖子，同时能消除背部赘肉，调整自律神经，治疗脖颈酸痛、驼背、腰背酸痛。

连贯动作

坐在你的脚后跟之上并向前伸展双手以作松弛。沿着地席完全地向前伸展，准备做“单腿踢”。

难度调整

如感觉肩膀、手指或手腕受压疼痛，可将双手打开一点，并稍为置前。

3.

轻轻地转动你的头往你的胸膛，然后望向你的右肩，自然地呼吸。返回中央。以反方向开始重复脖子卷动。当你把你自己放下返回地席上的时候，吸气，完成时呼气。

▶ 重复3次。

连环图

PILATES

Single Leg Kicks

单腿踢

这项运动对伸展你的髋部和大腿前部具良好效果，可以强健你的动能中心。此外，对改善你的协调能力亦有莫大裨益。

1.

把你的肘笔直地放在肩膀之下，手握拳头并把它们合起来。望向前方，延伸你的腿和足部。

目的

运用你的动能中心而不是冲力，以受控和协调的动作，用你的脚后跟接触你的臀部。当你的控制力得到改善时，可以把动作的节奏加快。

曲影温馨提示

- 确保你是运用腹部力量把你的上身抬起离开地席。
- 运动期间保持你的肩膀放下和松弛，因为做这项运动的时候，肩膀会易于耸起。

自我检讨

- 头与脊骨成一直线，不要仰头。
- 前臂压进垫子，此动作可以训练手臂肌肉和辅助上身的抬升。
- 切勿弓起肩膀，要沉下肩胛骨。

想像：你正在尝试用你的脚后跟接触你的臀部。

2.

当你把右腿踢向你的右臂两次的时候，不要放松腿背的控制，与此同时，接合你的大腿内侧和臀部并吸气。

曲影温馨贴示

假如你的膝部受伤，可以省略这个运动；要是你的膝部软弱，慢慢地做这个运动；若你感到任何不适，即刻停止这项运动。

功效

这组动作主要锻炼大腿前部的肌肉，训练你的协调能力。同时治疗驼背，使臀部曲线变得更美。

连贯动作

坐在你的脚后跟之上，向前伸展双手并松弛，准备做“双腿踢”。

3.

当你把左腿踢向你的左臂两次的时候，把右脚放下返回地席上，呼气。

▶重复5次。

连环图

It is a fitness regime that combines stretching and strengthening exercises designed to work the entire body in fluid movements.

一种健身养生法，
它结合了伸展和力量练习，
使你的全身都可进行流畅的运动。

Double Legs Kicks

双腿踢

这项运动是为展开胸腔及伸展肩膀和背部而设计，同时亦可锻炼你的动能中心。

1.

俯卧，侧面脸贴在垫上。双手放于背后，手掌向上。肩和手肘放松触地。双脚并拢收紧，伸展于身后。

目的

保持中枢稳健的同时，伸长你的身体。

曲影温馨提示

- 不要放松你的腹部，尤其当你抬起你的上身的时候。
- 尽量伸长上身，使其离开你的髋部，而不是把背部拱起。
- 运动期间保持你的肚脐拉进你的脊椎。

自我检讨

- 收紧臀部和大腿。
- 凝聚轴心肌肉，不要松懈。
- 头部和脊骨伸展时应保持一直线，别仰起头。
- 步骤2中，肩膀和手指保持放松。

2.

把两腿合起来并接合你的臀部和大腿内侧。当你曲着双腿踢向你的臀部的时候，同时吸气。

▶ 重复3次，不要放松你的腿背。

曲影温馨提示

假如你的下背部或膝部软弱，或肩膀受伤，这项运动也许不适合你。若你感到任何痛楚或不适，可以省略这个运动。

功效

这组动作可以开阔你的胸腔和肩膀，使小腹变的平坦，有健胸、美容的功效，并使人产生愉快的心情。

连贯动作

以一个受控的动作转身并把你的手放在头部后面，准备做“脖子拉展”。

想像：你正束着一条腰带把你的腹部往内推进。

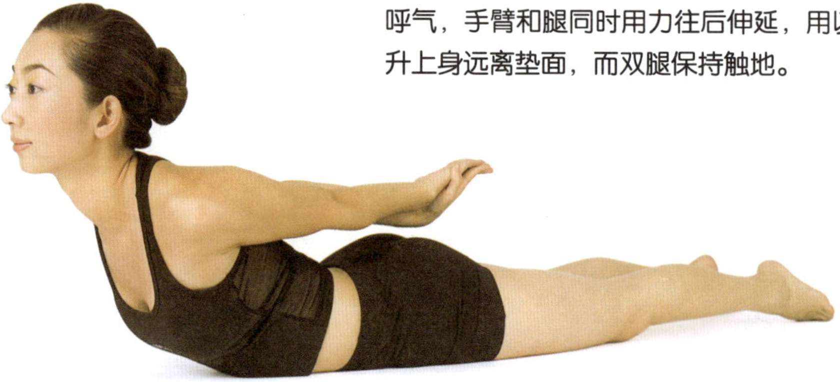

3.

呼气，手臂和腿同时用力往后伸延，用以抬升上身远离垫面，而双腿保持触地。

连环图

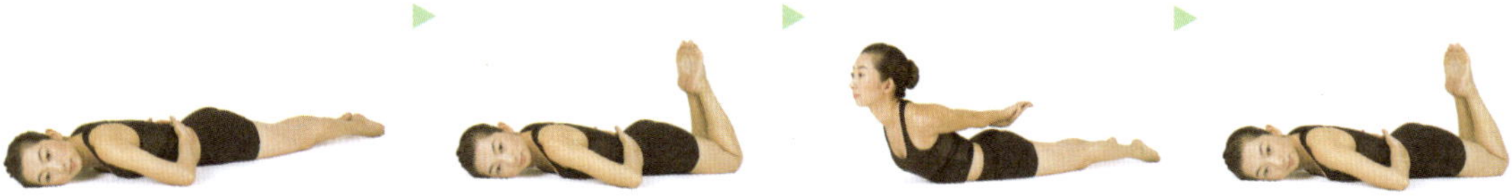

PILATES

Neck Pull

脖子拉展

这项运动有助你在锻炼腹部的同时，延长你的脊椎，并伸展你的腿背。

1.

仰卧，双手交叠置于脑后。双腿分开与肩宽，伸长并蹬脚后跟。

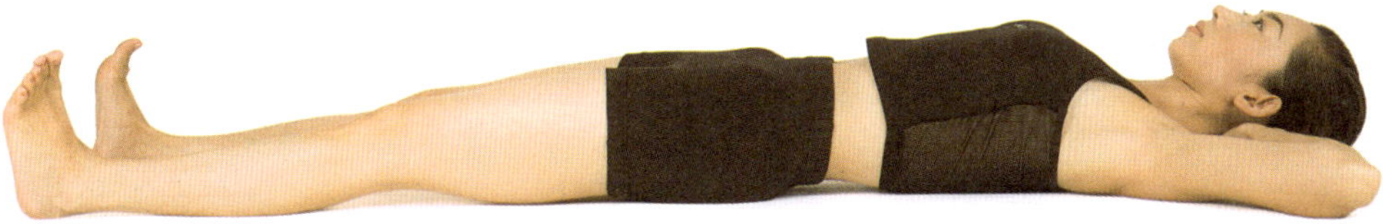

目的

伸长背部的同时，把椎骨逐节地卷下来。

曲影温馨提示

- 要是你觉得这个运动困难，可以在向上及向下卷动的时候屈曲着双腿。
- 做这个动作期间伸展你的脚后跟。
- 你的下身应该紧贴着地席，一直收拢着你的臀部并伸长双腿以助你完成这个动作。

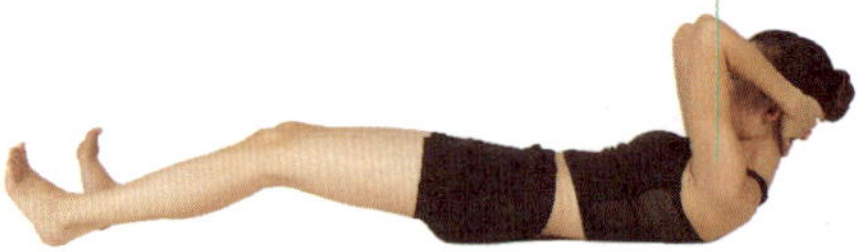

自我检讨

- 凝聚轴心和腹部。
- 别凸出肚腩，卷升或卷退时都保持腹部收缩内曲。
- 卷体探前时，背脊要弯曲圆拱，不要伸直。
- 手指向外。
- 保持腿部力量感，并调准位置；膝盖向上，脚趾伸出蹬后。
- 动作要流畅，并且控制得宜。

2.

当你开始从地席卷起来的时候，吸气，将你的肚脐拉进脊椎。运用你的动能中心继续往前向着大腿卷曲。当你的胸膛接近你的大腿时，呼气。

曲影温馨提示

假如你的脖子或下背部软弱，可以省略这个运动，直至你的体能有所改善。

功效

这组动作可以拉长脖子和脊椎，去除颈部酸痛，刺激颈部血管，治疗平衡失调症。

连贯动作

把你的腿合起来，靠着右边侧身躺下，而你的脊椎与地席边缘成一直线，准备做“侧腿踢”。

3. 当你从你的肚脐卷起来挺身而坐的时候，吸气，你的肘应该一直张开着。

4. 挺直(不要把胸膛推出)并后倾约5公分，你的腿应紧贴着地席，臀部收紧。当你从脊椎底部开始把椎骨逐节卷下来返回地席的时候，呼气。

▶ 重复3~5次。

想像：有一些沉重的砝码把你的腿压下。

连环图

PILATES

Side Leg Kicks

侧腿踢

这是侧踢系列的第一个运动。这项运动锻炼臀部、髋部及大腿，并为你的腿提供极佳的伸展。进行侧踢系列中的任何运动，躯干必须维持在同一位置，以便你从一侧转向另一侧的时候达到最佳效果。当你完成“双腿拍打”后，返回并重复锻炼你的左侧。

1.

左侧身躺下，用在下的一只手和臂支撑着你的头，而另一只手应放在前面的地席上以助平衡。提起在上的那条腿，直至它与在上的髋部成一直线。

目的

将活动着的那条腿流畅而受控地向着鼻子延伸。

曲影温馨提示

- 确保上部的髋部正处于下部的髋部之上。
- 运动期间你的腿和脚应一直是Pilates的站立姿势。
- 一直保持你的腿挺直，确保动作是运用你的髋部力量，而不是你的膝盖和脚。
- 这个动作必须由你的动能中心开始，并平衡地进行。

功效

这组动作可以收紧臀部肌肉，伸展髋部和大腿，并能消除腿部肿胀，预防大腿神经痛。

连贯动作

把在上的一条腿放下，准备做“上下拉展”。

想像：你的腿正在从一个弹簧里拉出来。

2.

紧紧地把肚脐拉进你的脊椎。当你把在上的那条腿向着鼻子尽量延伸的时候，吸气并把你的腿向前搏动一次。

3.

当你把你的腿受控地往后摆动，直至抵达你的背后的同时，呼气。摆动的时候不要往后倾，并保持你的腿和髋部成一直线。

▶重复5~10次。

连环图

PILATES

Up and Down

上下拉展

这项运动可以锻炼髋部、臀部和大腿并对大腿内侧提供极佳的伸展。

1.

确保你的腿一直是Pilates的站立姿势。当你把在上的一条腿向着天花板举起的时候，吸气，尽量把你的腿提高，髋部不要向前或向后卷动。

想像：你正在你的大腿之间挤压着风琴。

目的

向上移动时把你的腿略为快速地举起；往下移动时抵抗地心吸力，并且这些动作的进行是受控的。

曲影温馨提示

- 运动期间保持你的腿一直是Pilates的站立姿势。
- 把在上的一条腿举起，髋部不要向前或向后卷动。
- 虽然这是一个腿部运动，但你必须运用你的腹部开始动作。

功效

这组动作充分拉展了大腿内侧肌肉，同时也强化了侧腰肌、腹外斜肌。增强了骨盆及内脏功能。

连贯动作

保持同一姿势，在上的一条腿维持Pilates的站立姿势，准备做“小圆环”。

2.

伸长你的髋部，当你把你的腿受控而慢慢地带下来的时候，呼气。

▶重复5~8次。

连环图

Small Circles

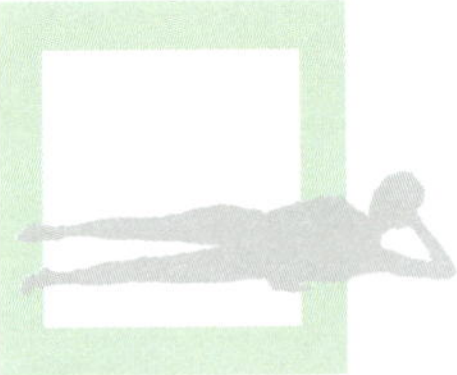

小圆环

这项运动锻炼髋部、臀部和大腿。当你渐趋熟练，增加转圈的速度并集中于向前的动作。

1. 伸长在上的那条腿，吸气，你的腿以细小而受控的动作向前转圈。检查你是否运用你的动能中心。

▶重复 5 次。

想像：你正在用你的腿画圆圈。

目的

强调向前的动作以维持精确的韵律。

曲影温馨提示

- 这个动作必须运用你的动能中心作为开始，而不是运用冲力。
- 当你转圈的时候，在上的一条腿保持与你的髋部成一直线。

功效

这组动作主要锻炼你的腿部和髋部的灵活性及协调性。防止下半身肥胖，美化腿部线条，促进血液循环。

连贯动作

把你的腿合起来并以一个动作翻卷，你的腹部躺下，准备做“双腿拍打”。

2.

再次伸长你的腿，然后呼气，腿向后转圈。

▶重复 5 次。

连环图

Double Legs Beats

双腿拍打

这是一个传统的运动，助你完成侧踢系列后交换双腿；亦是一个良好的运动，使你的臀部和腿背坚挺。

1.

你的腹部躺着，屈曲双手放在你的前面，其中一只手放在另一只手之上，把你的前额停放在手上。

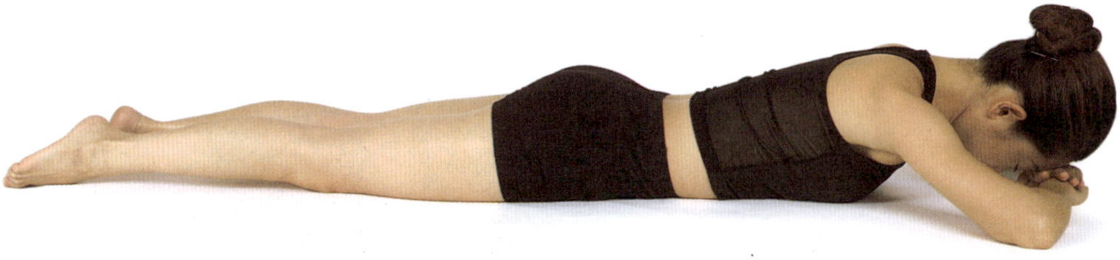

目的

运用你的动能中心进行这项运动。紧记当你迅速地一起拍打双腿的时候，把它们挺直。

曲影温馨提示

- 保持你的肚脐拉进你的脊椎。
- 放松上背部及肩膀。
- 避免两腿碰撞在一起。

功效

这组动作使你的臀部和腿背变得坚挺。同时强化肾脏、治尿频。

连贯动作

翻卷过来，背部平躺，准备做“平行伸展”。

2.

把肚脐紧紧地拉进你的脊椎并挺直你的腿和脚，提起双腿离开地席。确保你不会抬得太高，你的臀部及大腿内侧保持接合。

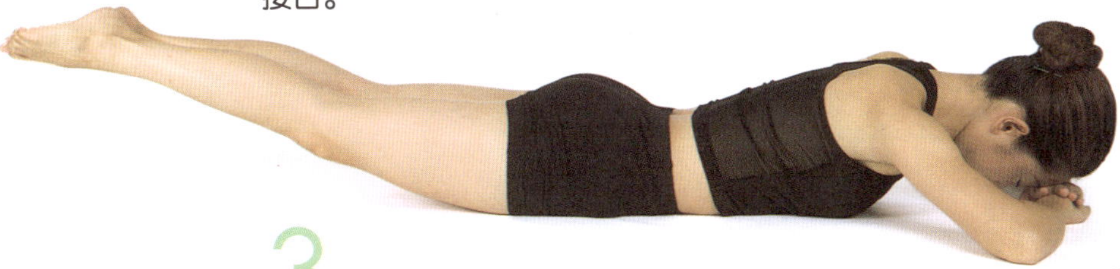

3.

张开你的腿，不要超过你的臀部宽度，然后迅速地把它们合起来，这样你的大腿内侧稍微地互相接触。

▶ 吸气重复 5 次，然后呼气重复 5 次。以受控的动作把你的腿轻轻地放下。

想像：你的腿被一条金属棒撑起来伸直，而且铰链到你的髋部。

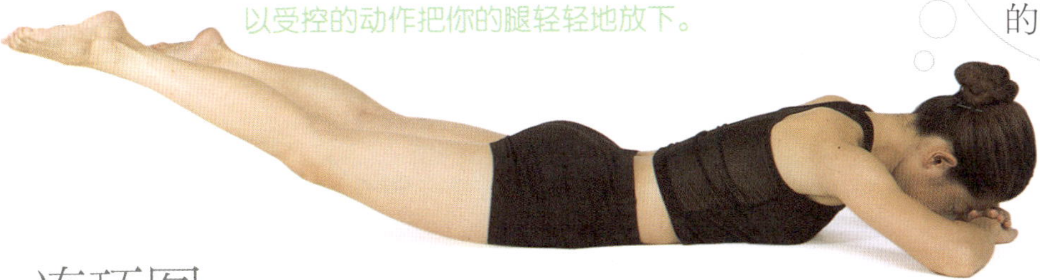

连环图

Stretch Parallel

平行伸展

这是一个强有力的运动，可以锻炼你的动能中心及脊椎。你可能需要以初学者变化动作作为开始，直至你拥有强劲的动能中心。

1.

把膝盖带到你的胸前将双手放近你的两旁，手背向下。双腿向天花板伸出，直至离开地席45度，然后把它们放下。双手往后伸展，直至它们与你的耳朵成一直线。保持你的背部平直并把肚脐紧紧地拉进你的脊椎。

目的

运用你的动能中心，以控制能力使“V”姿势得以平衡。

曲影温馨提示

- 运用你的腹部，以受控的动作慢慢地卷下来，把椎骨逐节放下。当你卷下来的时候，保持你的腿于同一水平。

进阶变化动作

进行这个运动时，你的足部紧贴于地席上，你的腿应合起来。

2.

吸气并把双手举起带到前面，接着是你的头，运用你的动能中心，慢慢地卷起来，伸出手越过你的腹部。

曲影温馨提示

- 假如你的下背部软弱，这项运动也许不适合你。要是你感到疼痛或不适，可以省略这个运动。

功效

这组动作锻炼你的动能中心和脊椎。拉长腿部线条，消除腹部赘肉。强化腰部，增强体力。提高肝脏、胃肠功能，促进食欲。

3.

在你的尾椎骨上平衡地摆出一个“V”姿势，保持你的腿离开地席45度。呼气并卷下来，把椎骨逐节放下。双手越过你的头放回后面，保持你的腿举起。

▶ 重复3次。

想像：你的臂和腿正被拉直。

连环图

The Seal

海豹式伸展

这是一项缓和运动，具松弛效用。虽然你的动能中心仍然接合着，但对于下背部是一个极佳的按摩。

1.

坐于垫上，双膝张开与肩宽，并屈曲到胸前。两手握住脚踝。脚趾贴在一起。倾后身体，在尾龙骨尖的后方找到平衡点。下巴抵进胸前。背部弯成C字形，腹部收缩内曲。眼睛望向肚子。

目的

引进步骤2及3的轻拍动作。当你第一次尝试这项运动时，可省略轻拍动作，直至你能掌握平衡力。

曲影温馨提示

- 两脚应贴近，并且不要触及地席。
- 当你向前或向后卷动的时候，把肚脐拉进脊椎以保持你的背部弯曲。
- 运动期间你的头应停留在同一曲线上。当你向后卷动的时候，把你的臀部升起离开地席。
- 这是一项缓和运动，因此你应该放松及享受这项运动。

自我检讨

- 切勿翻至颈椎位置，滚动到肩胛骨就停下。
- 不要仰后头，下巴要靠拢胸口，眼睛望向肚子。
- 背脊维持拱曲，任何时候也不可伸直，腹部内缩。
- 每次翻回预备位置时，要在双脚仍离地时停下，同时找回平衡点。
- 流畅性和控制非常重要，不要滚动得太快。

2.

吸气并往后卷动至你的肩膀顶部。确保你的下巴向着你的胸膛。将足部轻拍在一起3次。

功效

这组动作是一项缓和运动，有松弛作用，同时能按摩下背部和尾椎。促进脑下垂体、甲状腺的平衡分泌，消除耳鸣或重听。柔软脊椎，强化各内脏机能。

连贯动作

做得好！你已经完成核心运动程 式了。

紧抱两膝至你的胸前以伸展你的下背部。当你预备好，把椎骨每次逐节卷起，挺身而坐。继续卷动，慢慢地站起来，最后把你的头抬起来。

想像：你正夹住一个球在你的腹部弯曲处。

3.

呼气，并运用你的动能中心再次卷起来，重新开始动作。再一次平衡你的臀部并将你的足部轻拍在一起3次。

▶ 重复6次。

连环图

第3章

PILATES

美人厨房

Quying Pilates Quying Pilates' beauty kitchen

摆脱每天公式化的饮食习惯，让我们的美容塑身问题得到真正的解决，一起来为美丽健康加油吧！

在练习普拉蒂的同时，如果能搭配合理的饮食，塑身的效果将更加明显！我们已经不再怀疑，我们所吃的食物很大程度地并持续地影响着我们的健康和体形。对于健康饮食有四个关键因素：丰富、适度、平衡、享受。我们需要大约40种不同的营养元素，以确保我们健康和苗条，而不是仅仅供给我们人体生存所需的简单或成堆的食物。

我每次吃饭前，喝一大杯白开水或者苏打水。早餐喝150毫升不含糖的纯果汁。吃很多蔬菜水果，如果感觉单调可以做成蔬菜水果沙拉。蔬菜可以选择黄瓜、白萝卜、韭菜、冬瓜、绿豆芽、豆类食品；水果可以选择木瓜、菠萝、西瓜等。如果你喜欢喝牛奶，请尽量选择脱脂的或者低糖的；如果喜欢吃肉，尽量吃鸡肉或鱼肉这些热量比较低的。同时每天还要喝大量的水，最少8杯。我比较喜欢吃高热量的食物，但尽量在中餐吃，晚餐一定不要吃，而且一定要杜绝夜宵。这样有选择地吃到自己喜爱的食物，同时做到合理的营养搭配。心情好，身体吸收到的营养自然就会非常充足。这也就是我的普拉蒂精神。

以下是我一天所要达到的均衡营养配方，提供给大家共同分享。

粮食，谷类，马铃薯	33%
脂肪，糖类	8%
肉类，鱼类，蛋白质食物	12%
水果，蔬菜	33%
其他（牛奶，酸奶酪，水等）	14%

同时提供一些简单的食谱，你可以根据自己的喜好，自由地搭配、选择食物。

小贴士

想要拥有更纤细的身材，配合普拉蒂的运动，以下几条准则，你必须要遵守：

1.一日三餐要规律。

2.保持七、八分饱。

3.少吃高脂高热、油炸食物，丰富副食品种。

4.食物清淡，忌食过咸过甜食物。

5.不偏食。

6.多吃黄绿色蔬菜。

7.控制酒和零食。

8.多选粗纤维食物、粗面、海藻及菌类。

嫩芽泡菜凉汤

⊙ 材料：（4人份）

小黄瓜1条；盐少许；海带嫩芽（泡开）50克；韩国泡菜50克；（A）清炖肉汤块1个；水3杯；酒2大匙；酱油1大匙；（B）酱油1/2大匙；香油1/2大匙；醋1/2大匙；长葱1/2根。

⊙ 作法：

1. 小黄瓜撒盐，在砧板上搓磨，洗净，斜切成薄片。
2. 海带嫩芽、韩国泡菜切大片。
3. 在锅中将（A）煮沸，放凉后，加入1、2，放在冰箱中冷却。
4. 装在容器中，加入（B）。

咖喱豆腐

⊙ 材料：

木棉豆腐2块；哈蜊1/2包（100克）；酒1大匙；竹笋2根；溶于水的太白粉1大匙；（A）高汤2杯；酱油5大匙；料酒5大匙；咖喱粉1大匙。

⊙ 作法：

1. 蛤蜊排在盘中，淋上酒，包上保鲜膜，用微波炉加热2~3分钟。
2. 竹笋浸泡在水中，包上保鲜膜，用微波炉加热1分钟，切成小丁块。
3. 将（A）在锅中略煮一下，加入咖喱粉，再加入溶于水的太白粉，作成咖喱的勾芡汁。
4. 在3中加入蛤蜊及蛤蜊的蒸汁，以及2的竹笋
5. 豆腐切成两半，放入热水中温热后
6. 将豆腐捞放在容器中，淋上4的勾芡汁。

⊙ 高汤的作法：

以1杯水对1/5小匙颗粒状高汤的比例调制。

水煮甘薯

材料：

甘薯180克；拌饭香松2包；高汤2杯；盐适量。

作法：

1. 甘薯切成1~2公分厚的圆片状。
2. 先用水煮过一遍，并将煮过的水倒掉。
3. 将高汤和拌饭香松一起加进去，煮7~8分钟。依自己的喜好，可以加盐来调整味道。

事先烫煮过的甘薯，不要加其他调味料，只要用香松来煮，使之入味即可。

烹调要诀：

胡萝卜、小黄瓜、芹菜、萝卜等蔬菜，用削皮器削到可食用的部分，就会变成像缎带的样子。放到水中，又会变得截然不同，整个弯圆起来，是非常可爱的素材。可以用来装饰生菜沙拉等菜肴，非常方便。

营养小常识：

一般人都相当肯定中国茶对瘦身的特别显著的效果，那是因为和日本茶比较起来，中国所出产的茶消解脂肪的能力很高；而对肝脏机能有所助益的氨基酸含量也比日本菜多8倍。还有，适量的咖啡因或单宁酸，也有通便、利尿的效果。

姜丝鳕鱼

材料：

鳕鱼（切片）4片；油菜1/2束；生姜1片；（A）高汤2杯；料酒4.5大匙；酱油4.5大匙；酒4.5大匙。

作法：

1. 用热水浇烫鳕鱼切片，去除腥味。
2. 生姜去皮、切细丝，放入水中，使之爽脆。
3. 将（A）倒入锅中，使之沸腾，(1)的鳕鱼片外皮朝上地放入锅中，和生姜的皮一起用中火煮。
4. 途中，数次用汤勺翻搅汤汁。
5. 将铝箔纸折成同锅子大小，在中间剪个洞当成有孔的盖子，放在4的鱼上面，一直熬煮到汤汁剩一半。
6. 在鱼即将煮好之前，将油菜氽烫一下，切成段后再放入汤汁中。熄火，装盘后再摆上嫩姜丝。

高汤的作法：

以1杯水对1/2小匙颗粒状高汤的比例调制。

涮韭菜油豆皮

材料：

韭菜1束；鲜香菇4朵；油豆皮1片；（A）高汤2杯；料酒2.5大匙；薄盐酱油2.5大匙。

作法：

1. 韭菜切成4~5公分的长段，鲜香菇切薄片。

2. 油豆皮先用热水浇淋，去油，切成细条状。

3. 在锅中，将（A）的调味料略煮一下，加入油豆皮和鲜香菇略煮1~2分钟，再加入韭菜，然后立刻熄灭。

高汤的作法：

以1杯水对1/5小匙颗粒状高汤的比例调制。

烹调要诀：

当你想做容易煮熟的菜，并和汤汁配着一起吃时，可以采用以下的比例：高汤10大匙，料酒1大匙，酱油1大匙。不容易入味的素材，用小火慢慢炖煮时，也可用相同比例。

为了去除油豆皮多余的油分，可以先用热水冲烫过后再继续料理。油豆皮的油脂很容易酸掉，所以选购时要注意制造日期，越新鲜的越好。

韭黄炒韭菜花

材料：

韭黄2束；韭菜花1束；木耳20克；盐少许；胡椒少许；沙拉油2小匙。

作法：

1. 将韭黄、韭菜花切成4公分长。木耳泡软到恢复原状，去除坚硬的部分。

2. 炒锅加热完全后，将油倒入，依木耳、韭菜花、韭黄的顺序拌炒，并以盐、胡椒调味。无论凉拌或热炒都是很好吃的韭菜，以叶片闪着水光，肉质肥厚者为佳。韭黄是毋须阳光照射栽培而成的，比起韭菜来，它的香味更加婉约柔和。韭菜和葱蒜同科，和洋葱一样，含有硫化烯，有助于维生素B1的吸收。

烹调要诀：

在节食中，可采用铁弗龙加工的平底锅或炒锅来避免油脂；另外，要将平底锅或中式炒锅加热完全，只要少量的油即可。充分加热过的平底锅或中式炒锅，只需让油沾一下锅就够了，还能防止菜烧焦。韭黄和韭菜花不一样，一下子就熟透了，所以，放在最后再下锅即可。

四色杂烩

⊙材料：

茄子2条；夏南瓜2条；红椒2个；青椒2个；西洋芹1束；番茄2个；橄榄油2大匙；盐少许；胡椒少许；荷兰芹少许；月桂叶1片；蒜头1瓣。

⊙作法：

1. 将茄子、夏南瓜、西洋芹等切成1公分厚。青椒、红椒则切大片。
2. 锅中加入蒜头的细末，倒入橄榄油，炒一下。
3. 加入1，与油拌匀后，放入月桂叶，转小火，盖上盖子，蒸煮15分钟。
4. 蔬菜变软，水分出尽后，将汆烫过、切成小块的番茄加进去，继续拌炒。
5. 加盐、胡椒调味。盛盘后，撒上荷兰芹末。

⊙营养小常识：

不规律的饮食生活，是造成脂肪堆积的主要原因之一。如果你三餐无法正常饮食，不妨喝杯牛奶补充体力，让两餐之间间隔不要太久。

PILATES IS A METHOD THAT AIMS TO CREATE A BALANCE IN THE BODY, DESIGNED TO CATER FOR THE NEEDS OF THE INDIVIDUAL.

能够建立身体平衡，
专门为个人需要所设计。

第4章

PILATES

Quying随堂笔记

Quying's minutes

1.普拉蒂与瑜伽的区别?

与瑜伽那种动作难度大的折叠式健身法不同，普拉蒂强调的是让呼吸与伸展相结合，尤其是腹部的收缩和伸展运动。可别小看这简单的动作，它能矫正骨盘与背骨的正确排列，同时加强周边肌肉的力度，让整个身体处于最佳的位置和状态，以获得健美的体型。普拉蒂不仅仅是一套健身操，和瑜伽一样，它能通过身体形态及姿势的改变来提高身体对外界的敏感度，并通过日复一日的练习修身养性。

2.哪些人可以练习普拉蒂?

初接触者可能会有些疑问：什么样的人群可以练习普拉蒂，我自己可不可以……

普拉蒂将东方的柔和与西方的刚毅二者之长合二为一，它的动作缓慢而清楚，而每个姿势都必须和呼吸协调。所以普拉蒂适合任何年龄的人练习。无论是70多岁的老人，还是理疗期间的病人，特别是缺少运动、长时间需要接触电脑和朝九晚五的上班族人士，都可以通过练习普拉蒂强化肌肉功能，令身体更加柔软，甚至怀孕期间的妇女也可跟着老师练习，从而加强脊柱的承托力，以帮助产后迅速恢复身材。

3.做普拉蒂可以减肥吗?

女士们最关心的，莫过于普拉蒂可否让她们减肥？她们不吃不喝，把自己关进蒸笼里，被人捏得皮肉青瘀，都是为了一个目的：减肥!

如果你原本什么运动都不做，不论你尝试任何一种运动，都会有减肥的作用。做普拉蒂当然也不例外。但我们沉迷于减肥的同时，有没有想过如何处理那堆抽掉了脂肪后松垮垮的皮肉？据很多人的亲身经验，普拉蒂可以把肌肉塑造得结实而富有线条，是调整姿态的最佳运动。所以，普拉蒂和减肥有密切的关系。快把普拉蒂纳入你的减肥计划吧!

4. 普拉蒂可以增高吗?

很多学员都和我说：我练习普拉蒂后增高了足足三厘米!

普拉蒂最重要的是增强你对身体的自觉，当中很多动作都是提示你延伸拉长脊骨、沉肩、保持盆部自然中立位置。久而久之，就把你不良的姿势纠正了，拉长了你本来愈缩愈短的脊骨和肌肉。

5. 普拉蒂是不是练习次数越多越好，时间越长越好?

最近我发现，出现了这么一批学员。

她们不流连街市，却长驻健身房。早上，老公儿女上班上学后，就准时报到；上完一课普拉蒂再上一节韵律踏板；在更衣室洗澡后，边围着大毛巾吹头发边一起讨论上哪间酒楼饮茶；下午再回来在跑步机上散步……

别用这种马拉松式的方式来做普拉蒂。不要以为“这个招式好正啊，一口气做多个十下，明天我的屁股就会结实起来了！”每天做普拉蒂十五分钟都会见效，做一个小时就应该叫停。每个动作重复多次是有它的道理的，都是经过设计的，不是随意排列的。

因此学普拉蒂时，请勿贪心做过量，否则半夜痛得啊啊叫，吵醒邻居就不好了。

图书在版编目(CIP)数据

激瘦普拉蒂 / 曲影编著. —成都：成都时代出版社，2008.8 (2012.7重印)

ISBN 978-7-80705-827-4

Ⅰ. 激… Ⅱ. 曲… Ⅲ. 健身运动—基本知识 Ⅳ. G883

中国版本图书馆CIP数据核字(2008)第116799号

激瘦普拉蒂

JISHOU PULADI

曲影 编著

出品人	秦明
责任编辑	都玲玲
责任校对	张旭
装帧设计	中映·良品 （0755）26740502
责任印制	莫晓涛
出版发行	成都传媒集团·成都时代出版社
电话	（028）86619530（编辑部） （028）86615250（发行部）
网址	www.chengdusd.com
印刷	深圳市华信图文印务有限公司
规格	889mm×1194mm 1/24
印张	5
字数	120千
版次	2008年8月第1版
印次	2012年7月第4次印刷
印数	1-15000
书号	ISBN 978-7-80705-827-4
定价	29.80元